DU MÊME AUTEUR

Aux Éditions Gallimard

BOYS, BOYS, BOYS. Prix de Flore 2005.

Fin 1990, j'habite sur la ligne 12 du métro parisien, Porte de la Chapelle – Mairie d'Issy, exactement à mi-parcours. Il y a vingt-huit stations sur cette ligne qui relie le Nord au Sud, le 93 au 92, j'habite exactement à la quatorzième station. En plein centre, à l'abri, protégée des rumeurs périphériques. Au lycée on écoute Elton John, on écoute le premier album de Noir Désir, « Du ciment sous les plaines », on écoute « Puta's fever » de la Mano Negra, on écoute aussi Bruel et les Pixies.

Du haut de la ligne 12, du terminus, de la Porte de la Chapelle, NTM est descendu jusqu'à moi, quatorze stations enquillées.

Fin 1990 je rencontre Antoine, il habite sur la ligne 6, à Montparnasse. Il est blond, franco-américain, la nuit il fait le mur. Il tague dans le métro, sur ma ligne, à Marcadet Poissonniers, à Marx Dormoy ; son ambition : cartonner la station Louvre. Il finit par le faire, il passe la nuit au poste.

C'est en février, je l'attends devant le commissariat, il est libéré à 8 h 30, j'ai apporté des pains au chocolat.

C'est avec lui que j'écoute le premier titre de NTM : « Je rap », sorti sur la compilation de hip hop français « Rapattitude ».

Antoine et moi sous nos casques de walkman, esprits ravagés par un son au lance-flammes.

Et avec nous le bitume des villes et la jeunesse posée dessus.

Mars 1991, j'assiste pour la première fois à un concert de NTM. 1991, l'année du bac, l'année de leur première tournée, tournée des banlieues, à l'arrache, pendant dix mois. L'album « Authentik » venait de sortir.

NTM ne passerait pas à Paris, ne tournait qu'en banlieue. À l'époque il n'y avait pas de filles dans leurs concerts — trop d'embrouilles. J'ai trouvé un garçon pour m'accompagner, le cousin d'une copine, équipier le week-end au McDo de Mantes-la-Jolie, le McDrive, celui qu'on aperçoit de l'A13 quand on roule vers l'ouest. Il se trouve que NTM jouait à Mantes, on s'est donné rendez-vous au McDo à la fin de son service. Je ne l'aurais jamais su que NTM jouait à Mantes, ça ne se savait pas, ça ne se savait que sous le manteau, ça se savait au McDo du coin, il fallait être du coin.

Le concert aurait lieu en plein air et il faisait plutôt froid pour un mois de mars, cinq degrés pas plus.

Souvenir de jeunesse, à en chialer, souvenir de guerre, motif de fierté. Même eux ils s'en souviennent, après toutes ces années, après toutes ces tournées, tous ces concerts, celui-là ils ne l'ont pas oublié.

Le concert à Mantes avait failli être annulé plusieurs fois, et avait donné lieu à des débats passionnés jusqu'au sein du conseil municipal. NTM faisait peur, les fans de NTM encore plus, les concerts de NTM donnaient systématique-ment lieu à des débordements. Un bordel sans nom à chaque fois, des émeutes, émeutes de joie, assorties de bastons, pneus crevés, beuve-ries. C'est une association de quartier qui avait invité le groupe à jouer à Mantes, la municipa-lité était plutôt contre. Le soir du concert les choses n'étaient toujours pas tranchées. Des in-formations contradictoires montaient jusqu'au McDo, on attendait d'en savoir plus pour bou-ger, dehors il faisait froid, je mangeais des Filet-O-Fish en regardant la nuit tomber sur l'A13,

DU BRUIT

JOY SORMAN

DU BRUIT

GALLIMARD

Avec lesquelles j'exerçais dans l'ombre.

Les bombes de peinture, avec lesquelles ils exerçaient dans l'ombre. Pour recouvrir Paris. L'album de NTM, « Paris sous les bombes », il y a plus de dix ans, et tous ceux qui l'ont écouté depuis, et la joie qui a suivi.

Paris sous les bombes à la fin des années 80, quand NTM couvrait de peinture les rames de métro, couvrait de leur nom, de leur cri de guerre tout ce qui leur passait sous la main, moindre tôle, moindre parpaing, moindre mur, sol, plafond, banquette en skaï, hangar. Paris sous des bombes, sous des mots obscurs au feutre à la va-vite, sous des calligraphies indéchiffrables. « Suprême NTM » en bleu, rouge, noir, en lettres tarabiscotées, signer la ville, taguer à en devenir dingue obsessionnel.

Le soir ils se laissaient enfermer dans le métro, cachés dans les tunnels entre deux stations, collés au mur, frôlés par les dernières rames rentrant au dépôt.

Avec lesquelles j'exerçais dans l'ombre. Phrase en spirale, vissée dans mes oreilles, qui tourne en boucle, creusant son sillon, phrase au rythme impeccable, chuchotée comme on vocifère par Joeystarr, à une minute quinze du début du morceau, *où sont mes bombes, où sont mes bombes, avec lesquelles j'exerçais dans l'ombre*, impossible de m'en défaire, trouble obsessionnel compulsif, je pourrais la dire cent fois, sans me lasser, à m'en faire péter les veines temporales, phrase qui dicte ma conduite, ma meilleure façon de marcher. Marcher avec petite phrase dans la tête, et l'effet d'une bombe. Visage tailladé, tête explosée, en miettes.

Mon corps lui obéit au doigt à l'œil à la baguette. Ceci est ma musique, je règle mon pas sur son pas, mes humeurs sur sa cadence, j'avance en rythme, exclusivement.

Avec lesquelles j'exerçais dans l'ombre, phrase qui ne me quittera pas de la journée, parfois de la semaine, saine addiction qui me porte à bout de bras, me stimule, m'encourage, cogne si

10

nécessaire. Le flow tellurique de Joeystarr dans la tête et les jambes, diction hachée de boucher, soufflée brûlante comme le vent du désert ; je glisse sur le bitume, propulsée par un vent arrière, l'haleine féroce de Joeystarr.

Crispée sur une phrase qui ne me lâche pas, cousues l'une à l'autre, je ne t'abandonnerai jamais, sinon sur quoi régler mon allure, quelle vitesse programmer, quelle mesure pour les battements de mon cœur, quelle envie pour la journée qui s'annonce, qu'indiquent les aiguilles, que relèvent les compteurs ?

Avec lesquelles j'exerçais dans l'ombre.

Il y aura d'autres phrases, qui ne sont pas des phrases mais des coulées de lave.

Dorénavant la rue ne pardonne plus.

Ecouter, ne pas s'en remettre, se couler la phrase béton dans la tête, et un pied devant l'autre.

Et si t'as le pedigree ça se reconnaît au débit.

Écouter le débit de NTM, le flow acéré, la scansion qui nous laisse, hagards, défaits, des encoches dans le cerveau, des empreintes : marques en creux ou en relief ; ici en relief, comme un supplément de chair, une excroissance vitale, la trace d'une greffe — matière sonore,

11

afflux sanguin. Ritournelle NTM en implant sous la peau, je pète la forme.

Pas de solution donnée, mon plafond reste ton plancher.

les phares s'allumer, les voitures filer vers la Normandie en longues traînées rouges.

On apprend que NTM doit finalement jouer au gymnase, on se met en route, on ne se connaît pas très bien encore mais notre cause est commune, nous avons le même feu aux joues, la même fièvre. Arrivés au gymnase, un attroupement ; Joeystarr et Kool Shen sont à la porte, le gymnase est fermé à clé, la clé introuvable, les services sportifs de la ville injoignables, la porte blindée. Joeystarr, Kool Shen, et une vingtaine de types énervés qui s'acharnent en vain sur la porte verrouillée. Aucun responsable sur place, personne de l'association, personne de la municipalité, la ville alentour déserte. Seulement deux cars de police en retrait — dont un muni d'un canon à eau — et quelques CRS casqués, jetant un œil de loin, la main sur le bouclier.

Les spectateurs commencent à affluer, public strictement masculin, assez chaud. Les NTM ont renoncé au gymnase mais pas au concert, poussés, menacés, par deux cents mecs pas prêts à lâcher l'affaire, venus du 91, du 92, du 93, du 95, du 77, du 78, et de plus loin encore. Joeystarr et Kool Shen s'installent finalement au milieu du terrain de rugby qui jouxte le gymnase, ils ont garé leur camionnette à l'entrée du terrain, ils ont déballé leur matériel, tout installé sur la pelouse, sous le regard de lascars désormais étonnamment calmes, dans un silence recueilli, en rangs disciplinés derrière les grillages, observant les préparatifs, qui leur sont dédiés. Des lignes de survêtements, toutes les couleurs, toutes les marques, des lignes de blousons à capuche, des lignes de casquettes, de baskets, des lignes de garçons de vingt ans, des lignes de belles gueules de quand on a vingt ans, des lignes de points incandescents dans le noir, cigarettes et spliffs en train de se consumer. Lignes en silence qui attendent le signal du départ, qui ne quittent pas des yeux les mouvements, déplacements de Joey et Kool Shen ; pas question que vous ne jouiez pas ce soir.

Bruno et Didier, devenus Kool Shen et Joeystarr, noms de guerre scandés ce soir-là par la petite foule des débuts.

Le sound system est en place, NTM va bientôt démarrer, sur une pelouse humide, givrée ; il n'y a ni estrade, ni scène, ni podium, rien pour poser ses pieds. Il fait toujours aussi froid. Ils ont déchargé du camion un groupe électrogène, maintenant planté comme un rocher au milieu du terrain, prêt à fonctionner, dans un bruit d'enfer, bruit de moteur de dragster. Froid, silence, mais électricité dans l'air. Le cousin de ma copine porte un survêtement flambant neuf, un Puma en peau de pêche vert sapin, veste et pantalon coordonnés ; je suis en veste de treillis, jean et Adidas Marathon Trainer beiges. De plus en plus d'électricité dans l'air, tout le monde veut que ça commence, que ça claque. La nuit est tombée, le stade ne s'éclaire pas ; noir total et froid. Personne pour allumer les lumières, pas de solution alternative, les NTM se découragent, annoncent que le concert ne peut avoir lieu, qu'ils ont tout essayé, qu'ils sont désolés, que là vraiment c'est pas possible. Prêts à remballer, impuissants, résignés ; mais c'était compter sans le public, sans les esprits qui finissent par s'échauffer dans le froid, sans la motivation, la colère contre la municipalité, le désir. Massé derrière les grilles du stade le public a fini d'être discipliné, il sait que NTM c'est deux types radioactifs qui déclenchent des émeutes ; il décide alors de jouer son rôle d'émeutier, son rôle d'ambianceur. D'un même élan, par grappes de dix, les fans poussent contre les grillages, qui bougent mais à peine, toujours fichés dans le sol. Alors ils vont chercher leurs bagnoles, immatriculées dans le 91, 92, 93, 95, 77, 78, et plus loin encore. Ils roulent sur les grilles, ils forcent, ils font céder la clôture, et rentrent. Une vingtaine de voitures en procession sur le terrain de rugby, klaxons de la victoire, sirènes de supporters, pleins phares, du monde accroché aux portières, les moteurs qui grondent en première, un joli vacarme. Joey rigole, Kool Shen organise la mise en place des véhicules : ils se garent en demi-cercle autour de la scène improvisée et forment comme une rampe de lumière aveuglante qui éclaire le dj, Concepteur Détonateur S, Joey et Kool Shen. Le show démarre instantanément sur « Le monde de demain », et c'est parti pour deux heures de concert dont une heure de rappel. Du ciel on doit apercevoir un arc de lumière, on doit entendre les battements étouffés des infrabasses qui s'élèvent comme des colonnes de fumée.

Les flics n'ont pas bougé, tétanisés, fascinés par deux cents mecs et trois quatre filles qui chantent et dansent debout sur les capots des bagnoles, debout sur les toits des bagnoles, glissant sur la pelouse givrée, accrochés aux grilles défoncées, dans la lumière jaune des phares, formant un cercle autour de NTM ; tribu de b-boys autour d'un feu de joie de décibels. Premiers hommes, fin ou début du monde, dans la violence et l'ivresse. Aucun blessé, des voitures défoncées. Mais qui s'en soucie.

Depuis, à chaque début de concert, comme un rituel, Kool Shen et Joeystarr saluent ceux qui y étaient, les old timers, tous ceux qui étaient cette nuit-là à Mantes-la-Jolie, mars 1991, il faisait si froid, vous n'avez pas oublié ?

Suprême NTM, meilleur groupe de rap français, meilleur groupe des années 90, années 90 âge d'or du rap français, France deuxième nation du rap derrière les États-Unis, NTM entre 1991 et 1998, quatre albums — décisifs :

1991 — « Authentik », old school, artisanal, râpeux, coléreux.

1993 — « J'appuie sur la gâchette », début des emmerdes, la France a peur, Kool Shen affûte son flow, Joey remonte des entrailles de la terre.

1995 — « Paris sous les bombes », le succès, les tubes, tous les sons du hip hop, tous les bruits de la ville.

1998 — « Suprême NTM », dernier round, perfection technique, ne pas faiblir.

Aujourd'hui milieu des années 2000 on écoute toujours NTM, par exemple dans la cuisine d'un deux-pièces au quatrième étage qui donne sur la cour intérieure d'un immeuble 70 à Paris XIIIᵉ, habité par un homme célibataire de trente et un ans, Sam. Au réveil Sam a mis un disque dans la platine Philips, il a réglé les basses et le volume sur l'ampli Sony, et les enceintes Technics diffusent un son nickel. Installation sonore dépareillée héritée de divers amis, au gré des déménagements.

Sam vit entouré de machines, de technologies, d'appareils de mesure : ordinateurs, tables de mixage, amplificateurs, boîtes à rythme, caissons de basse, électrocardiographe, baromètre, tensiomètre, sonomètre, écrans, claviers ; des fils électriques partout le long des plinthes, des voyants lumineux, des on/off, des horloges digitales, des bips.

Il écoute « Paris sous les bombes », disque fétiche, troisième album de NTM, album-drapeau planté au sommet de la carrière-toit du monde. Ce n'est pas pour rien que Joeystarr porte sur scène un masque de ski (de la marque Arnette — la meilleure), c'est qu'il a une montagne à gravir et que le temps est à la grêle, aux chutes de neige et au blizzard. Joeystarr — double R — est un grizzli — double Z.

Sam a eu vingt ans dans les années 90. Ce qui veut dire ? Avoir été contemporain du rap. Qu'est-ce que c'est ? Boule de feu musicale, le son retourné comme un gant. Mets ton gilet pare-balles, ce n'est pas moi qui le dis, ce sont eux : Joeystarr — double R — et Kool Shen — double O. Radios FM, chanteurs de variétés, jeunesse sucrée, mettez vos gilets pare-balles.

La première fois qu'il a entendu NTM, sur une cassette, ses yeux ont coulé, d'un coup, le piquaient affreusement ; il s'est regardé dans une glace, les a vus injectés de sang, comme couverts de poussière et d'éclats de billes de plomb.

Il y avait un lien entre ce qu'il écoutait — on n'avait jamais entendu ça — et ses yeux en feu, c'était une évidence, une cause à effet. Il se demandait juste pourquoi ce n'était pas ses oreilles qui s'embrasaient, il aurait mieux compris. Quelque chose de neuf, de corrosif, de violent venait de lui arriver ; un jet d'acide au visage, il se passe la langue sur les lèvres.

Que voulez-vous que je fisse sinon du hardcore.

J'appartiens à la génération de ceux qui ont eu vingt ans avec NTM. Comme tout le monde grandir avec une bande-son, et une fois grandi se demander : cette musique, qu'a-t-elle fait de moi ? Viens sous la lumière, que je regarde ce que le son a fait de toi, ce que NTM a sécrété comme sérum de vie, quelle nuée de gouttes imprime ton front, quel taux de globules blancs en boucle dans tes veines, quelles enzymes, quels acides ? Que s'est-il passé dans ce corps, vers où ont couru tes pensées ? À quelle vitesse ? J'ai écouté le rap de NTM et le son a fait de moi un groupe électrogène, un transformateur, une ligne à haute tension, 30 000 volts, mets pas tes doigts. Dans la platine Philips le combustible se consume à vue d'œil ; au loin une centrale nucléaire, le ciel est rouge ; milieu des années 2000.

NTM, accélérateur de particules ; accélération pour la vie, de 1991 à 1998 et au-delà.

— Pour qui tu roules ?

— À quoi je roule ?

Sang qui coule dans les veines. Ce qu'on a dans le ventre.

NTM n'est pas le souvenir d'une époque, NTM est la preuve que la jeunesse a bien eu lieu, c'est une bombe dont la déflagration n'a pas fini de nous faire trembler, c'est la modernité qui n'en finit pas, c'est la rumeur des villes et du béton. NTM ne sera jamais nostalgique parce que le béton ne meurt pas. Revenez jeter un œil dans douze siècles, béton toujours debout, inaltérable, à peine fissuré, à peine effrité, toujours tagué par ceux qui vivent au grand air des villes.

Si on faisait des tests, si on les faisait sérieusement, des examens, des encéphalogrammes, des prises de sang, des tests d'effort, des prélèvements, des frottis, souffler dans un ballon, électrodes sur la poitrine, on trouverait bien quelque chose de probant, de significatif, on verrait bien qui écoute NTM, qui n'écoute pas. On verrait bien l'effet des bpm du rap sur nos constitutions, effets curatifs, effets pervers aussi. Battements par minute de mes terminaisons nerveuses, pulsations du quotidien, le beat, en boucle harassante, l'écho des basses qui résonne dans les artères, et j'ai l'estomac dans la tête, la tête dans les épaules, les épaules dans les talons, les talons au bout des genoux ; *mon cerveau finit dans l'arrière-cour* —, samples en spirales vibrantes, scratches déchirant la mélodie, break qui fracasse, suspend l'action, puis la laisse retomber en flottant comme flottent les boulets de canon. Break, rupture, tomber dans le vide, se raccrocher, retomber sur ses pattes et dévaler à nouveau aussi sec.

Avoir vingt ans dans les années 90, se chercher un rythme comme on cherche sa voie, quelque chose à emprunter, un bout de terrain à habiter. Écouter comment les gens parlent, se chercher une intonation propre, inventer une langue. Être jeune et apprendre à parler au reste du monde. L'ambition de la jeunesse, ce qu'elle a de mieux à offrir, ses mots, comment elle articule.

NTM m'a appris à parler. Son flow ininterrompu en méthode Assimil dans les oreilles.

À la fin du XXe siècle on inventa le flow. Des gens doués, à l'aise, désinhibés et impatients — le plus souvent jeunes, noirs, américains — se sont mis à parler mieux, beaucoup mieux que tous leurs ancêtres. À parler vif, efficace, rythmé, entraînant. On n'avait jamais parlé comme ça, parlé aussi bien, parlé avec autant de précision, de fermeté et de conviction dans la voix. Âge d'or

de la parole, abolition des bégaiements, balbu-
tiements, hésitations, lapsus et autres imperfec-
tions du langage. Langage articulé, trop souvent
mal articulé. Ces hommes nouveaux se tenaient
à la pointe de la civilisation. Ils auraient pu en
abuser, séduire les foules, les réduire en escla-
vage, dominer le monde ; mais ils se sont con-
tentés de rapper dans les rues, de créer des
attroupements festifs, improvisés, et rapidement
dispersés par la police.

Maîtriser le flow : savoir poser sa voix sur le
beat.

— Et moi j'ai posé ma vie sur le flow de
NTM, et on est bien, tous posés les uns sur les
autres, parfaitement empilés, et on avance d'un
même pas. Posée sur le flow, sur le flux de Kool
Shen, sur le débit de Joeystarr, je dévale.

Sam écoute toujours l'album « Paris sous les
bombes », il est maintenant :

— un mutant aux forces décuplées, à l'oreille
supersonique,

— un sprinter en finale des championnats du
monde d'athlétisme.

Hardcore sur le beat.

Les effets de l'écoute. Les effets de cette musique sur la configuration générale de son appartement, qui devient champ de bataille, chambre d'échos, caisse de résonance, espace modifié par la puissance du son, lieu déplié, écartelé, pour accueillir l'ampleur de l'événement sonore. Popopopop sur les murs, lessivés par les grandes marées du beat. C'est le cri, c'est le chant du rap surgi des bois, les bois de la réalité, c'est l'annonce faite aux contemporains. Dans tous les coins de l'appartement des traces de basses, des fissures laissées par les breaks, ça suinte comme de la sueur sur le papier peint, c'est le flow de Kool Shen.

Au sol, du calcaire en gros blocs, matière première surgie de la gorge-grotte de Joeystarr et tombée là. Voilà ce qui arrive quand on écoute « Paris sous les bombes », on ne reconnaît plus son chez-soi. Et on se prend à poser de drôles de questions, des questions comme : que peut mon corps ? que peut un corps qui croise sur sa route la musique de NTM, le son qui tabasse ? Il peut beaucoup.

Je vise juste, tu crois qu'tu vas m'la faire à moi ?

Sam danse sur ligne à haute tension, sous l'impulsion des infrabasses, aux ordres du doigt du dj sur le vinyle à l'envers, son corps en marteau-pilon qui frappe sous la pression de l'air comprimé, il ânonne — une syllabe ou deux —, il jette les mots comme on porte des coups secs et vigoureux, il scande, il profère à une cadence infernale, il suit les injonctions du son, les battements de la syntaxe. Il est moteur à combustion et le rap brûle dans ses cylindres. Il parle dans une langue inconnue mais terriblement efficace, une langue familière, tête fracassée sur le béton, mais fluide.

— C'est quoi ce bruit, la fureur, ces cris d'animaux ? Incompréhension, angoisse, mouvements de panique. Barbares descendus sur la ville.

Mais le rap n'est pas le retour à une langue supposée primitive, inarticulée, c'est l'élucidation, la mise au jour et l'activation de la puissance de la langue, le démontage du moteur, l'encéphalogramme des mots, le raffinage de ces mots par les corps. Le rap épuise la langue et la fait renaître comme un nouvel amour, comme un amour de jeunesse. NTM, la belle langue française KO sur le ring les bras en croix, la belle langue française malmenée, piétinée, empoignée, traînée par les cheveux, jetée dans le coffre d'une grosse bagnole américaine — vitres fumées — et le tour du périph la nuit à 160. De quoi reprendre goût à la vie. Écouter NTM, se réveiller oreilles tranchées en lambeaux, jambes marquées au fer rouge du hip hop.

Si j'avais été américaine, ah si j'avais été américaine. J'aurais été maître de cérémonie — mc — en 1983 à New York. J'aurais connu Kool DJ Herc, inventeur des block parties, le premier à utiliser deux platines pour enchaîner les morceaux, à dissoudre les danseurs dans la musique. Avec DJ Herc plus de blancs, plus de temps morts, plus d'interruptions, mais d'immenses nappes sonores, sans fin, jusqu'à l'écœurement, la tête qui tourne. On aurait improvisé des fêtes l'été au bas d'un immeuble de brique rouge. On aurait fait sauter une borne à incendie et on aurait dansé sous des gerbes d'eau. J'aurais animé la soirée au micro, on aurait branché notre sound system au lampadaire public dont on aurait forcé la trappe d'accès — à l'époque on se nourrissait des kilowatts de l'électricité publique. À l'époque l'habileté au micro, la dextérité à chambrer, à garder la parole, à rapper en tenant le rythme, en tenant le flow sur la crête, donnait l'assurance d'être reconnu et respecté par ses pairs. La fluidité du verbe, l'aisance orale étaient au moins aussi estimées que la force physique, et l'argent ; savoir chambrer c'était avoir du style, avoir du style c'était être respecté.

1983, tête vissée au sol je suis une toupie, la nuit je bombe les rames du métro, je popopopop dans le micro et je débraye sur les platines, le vinyle couine et s'affole.

Et puis Kool Herc s'est retiré du circuit, blessé à la main droite. C'était une nuit à traîner seul dans les mauvais quartiers, à traîner trop tard, il est tombé dans une bagarre, a pris un mauvais coup de couteau. Main désormais paralysée, qui ne pourra plus glisser sur le vinyle.

J'aurais été habillée en trois bandes, veste de survêtement zippée près du corps en nylon satiné or (à l'époque à New York on portait cintré, étroit), jean Lee Cooper ajusté aux fesses. Mes baskets, des Adidas, le modèle Decade, celui de Sugar Hill Gang, cuir blanc et noir, les trois bandes grises, avec larges lacets noirs, j'en prends grand soin. J'aurais porté un bob en laine Kangol, du fard à paupières bleu canard en couches épaisses, un peu de rouge sur les joues. L'été parfois un mini-short en jean effrangé, un bandana rose dans les cheveux, un T-shirt Mickey Mouse au-dessus du nombril. Et des créoles en plastique blanc. Les b-boys dansaient, on croisait encore sur les murs des tags de Taki 183 — inventeur du genre dans les années 70 ; le Rock Steady Crew était le meilleur groupe de danseurs de hip hop, les breakers de Manhattan se retrouvaient au Rock Steady Park, une toile cirée déroulée dans la rue, des cartons dépliés, le duel. On allait écouter du rap au Danceteria, au Roxy, au Studio 54. Dans les rames bombées du métro new-yorkais la municipalité placardait des affichettes nous engageant à devenir adulte : Make your mark in society. Not on society.

Au même moment en France, 1983, Didier et Bruno, l'Antillais et le Portugais nés aux alentours de 68, découvrent le breakdance et l'esprit de compétition sur le parvis du Trocadéro ; ils montent leur groupe de break — Actuel Force — avec les Requins Vicieux, apprennent à bouger, mettent des claques le dimanche au Bataclan — compétitions de danse l'après-midi ; et trois ans plus tard, à Saint-Denis, Joeystarr et Kool Shen fondent le crew Suprême NTM. Sur les rames de la ligne 13 entre Châtillon – Montrouge et Saint-Denis, on peut lire « 93 ntm » tagué à la bombe noire. On avait inventé la banlieue, la cité, une nouvelle géographie, une génération. C'était en 1986, sept ans tout juste après le premier succès rap mondial, futur classique, hymne à la joie : « Rappers delight » par Sugar Hill Gang, 1979.

Bruno et Didier, deux lascars et leurs cent cinquante potes en survêtements Tacchini immaculés, Didier l'enfant hyperactif de la cité de Saint-Denis, Bruno de l'autre côté de l'avenue, côté zone résidentielle. Ils sèchent l'école, prennent le métro à Saint-Denis – Université — prendre le métro c'est leur vie —, changent à Champs-Élysées – Clemenceau, direction Château de Vincennes, descendent à Hôtel de Ville pour voler des bombes de peinture au BHV, puis marchent jusqu'à Pont-Neuf. Joey a besoin de gants blancs, il a l'habitude de les voler à la Samaritaine, rayon voilettes, chapeaux de mariage. Des gants blancs pour la danse, les gants blancs de Michael, les gants blancs des gamins breakers pleins de rêve et de talent du ghetto new-yorkais. Joey ne mégote pas sur les accessoires, sur le look en général.

Joeystarr enfant dans Paris en gants blancs, petit lord du hip hop, pour faire glisser ses mains sur la dalle du Trocadéro, jambes en l'air.

Pour fêter la nouvelle paire de gants Didier et Bruno décident d'aller en boîte, se font jeter de la Scala rue de Rivoli, échouent comme tous les week-ends au Club Phil'One à la Défense, pas une fille à l'horizon, la misère des gars de la dalle, allez viens on se tire.

Reste le métro, une vie joyeuse dans le métro, à recouvrir les trains. Reste la danse sur lino, sur un quai, aux Halles. Toutes les nuits en sous-sol et au petit matin « Joey » partout sur les murs. On fume des joints pour se réchauffer en taguant comme des hiboux, le joint dilate le cerveau, les artères ; les sons de la ville pénètrent par tous les pores, imprègnent les tissus, se répandent dans toutes les régions du corps, se logent dans les alvéoles, impriment durablement les esprits, et bientôt donneront lieu au meilleur son des années 90. Emmagasiner, enregistrer, engranger, et puis lâcher les chiens. Les albums de NTM se préparent en sous-sol, se trament dans la fumée de shit et les odeurs de solvants ; à la surface on commence à percevoir le bruit d'une détonation : le Suprême bientôt dans la place.

Bruno a apporté les cassettes de hip hop américain, Didier le lecteur cassette.

Bruno a apporté le rouleau de lino pour s'entraîner, mais Didier est meilleur danseur, Bruno est trop occupé par le foot.

De semaine en semaine les murs de Paris et de la banlieue se couvrent de « NTM », tagué avec davantage de précision, davantage de frénésie ; chaque nuit les métros méticuleusement cartonnés. Un tag devient le nom d'un groupe : NTM, partout dans la ville, c'est le nom du béton, nul ne peut plus l'ignorer ; le nouveau nom du son.

« Nique Ta Mère », et alors ? Un cri de guerre et de ralliement, et c'est tout ; une marque, un slogan, un très bon slogan, cinglant, efficace et drôle. Repris partout. Patrimoine du juron.

En juillet 1989 Joeystarr et Kool Shen montent pour la première fois sur scène. La machine s'emballera immédiatement, pour ne plus décélérer pendant dix ans. Joeystarr s'avance le premier, survolté, défoncé, chauffé à blanc ; s'il y avait eu des filles dans la salle on les aurait trouvées évanouies, mais de filles point. Toujours injustement écartées de la violence, du feu, de tout ce qui se déchaîne. Comme ce soir-là. Soir de frénésie, énergie nouvelle, débordements, cris, quelque chose d'effrayant. Ce n'est pas un joli début de carrière, ce ne sont pas des jeunes qui démarrent, ce n'est pas une chaude ambiance, un avenir prometteur, c'est immédiat et fulgurant, l'œil du cyclone dans la bouche de Joey ; immersion totale et instantanée, une émeute qui ne cessera plus, un cataclysme dans une petite salle de banlieue devant une poignée de spectateurs pris de folie. Chaque concert sera désormais un état de siège, tout le 93 est là, on vole des voitures, on détourne des trains, on égorge ses parents pour pouvoir suivre NTM partout en France, dans les provinces les plus éloignées de Saint-Denis, jusqu'à la frontière s'il le faut. Une foule venue de banlieue parisienne, toujours là pour l'ambiance et la baston. Ça commence à se savoir.

— Qu'est-ce que c'est que ce truc ?

On fait la manche pour pouvoir les suivre en tournée, on abandonne ses études, on dort sur

des parkings, on se nourrit de chips, on est increvable, on est prêt à se faire casser la gueule,
mordre par des chiens enragés, pour suivre
NTM en tournée. Grandes transhumances, cara-
vanes de fans, cortèges de b-boys, un groupe
naît porté par une foule électrisée, dépassée par
ce qui lui arrive, dépassée par l'excitation qui
l'étreint à chaque concert, le démon qui lui fait
rendre ses tripes, son formidable appétit de
vivre. L'ennui, la lassitude et l'aigreur ont disparu de nos vies. Ne pas mésestimer le pouvoir
du son sur des individus en pleine croissance,
sur des corps malléables, souples et productifs.
Jeunesse paratonnerre pour le son, la première
exposée, la première foudroyée.

Milieu des années 2000, Sam écoute toujours NTM, n'en a pas fini avec le rap ; le son vrille comme la mèche d'une perceuse dans le parquet. Musique qui coule dans ses veines comme la vengeance dans un western. Il souhaite donner son corps à la science, il a toujours sur lui la carte qui autorise le prélèvement d'organes en cas de décès accidentel. Il s'imagine mourir d'une mort violente et subite, mais qui n'endommagerait en rien ses organes, il donnerait tout, foie, rate, poumons, cœur, reins ; il imagine son cœur de fan de NTM transplanté dans le corps d'un fan de U2, comment la greffe pourrait-elle prendre ? Il ne fait pas de doute que le malade rejettera le greffon, secoué de spasmes en deux temps, beat et after beat.

Il imagine l'espoir fou du malade, on vient lui annoncer, on a trouvé un donneur compatible. Lui est tout juste mort dans un accident de montagne, il a dévissé sur plusieurs dizaines de mètres, il avait la fameuse carte sur lui, son corps est évacué par hélicoptère, on prélève son cœur, expédié par avion militaire, train, moto. Bloc opératoire, transplantation réussie, traitement antirejet d'immunodépresseurs, il va falloir attendre plusieurs semaines avant d'être certain que la greffe a réussi.

Désolé, nous ne sommes pas compatibles.

Mon cœur bat trop fort pour toi. Les médecins y songent-ils seulement ? Mon cœur musclé, irrigué par un son hip hop, ne le voit-on pas à l'œil nu ?

Plus tard, en rêve, il est allongé sur une table de dissection au centre médico-légal du quai de la Râpée, buste ouvert sur toute la longueur, un rai de lumière jaillit de ses poumons. Le médecin légiste porte des gants blancs chirurgicaux en latex talqué hypoallergénique — il sent l'odeur, la texture —, il utilise un scalpel en acier galvanisé, lit en lui comme l'aruspice dans les entrailles du poisson ; son cerveau déplié, chaque lobe mis à nu, ses tripes et ses viscères encore palpitants dans un seau, à la pesée.

— Il y a des traces de Saint-Denis fonky style dans l'intestin grêle. Ce type-là écoutait NTM, il faut l'incinérer d'urgence.

Maintenant il est dans la rue, il marche d'un bon pas, *un riddim qui tabasse, manettes à fond ça décrasse, et crée de l'espace*. Un tueur fou le poursuit, couteau de boucher à la main, mais Sam court plus vite, il a NTM dans la tête, 130 bpm dans le cœur, le big flap dans les mollets, *détenteur de la mégaphrase, j'ouvre le bal*. NTM peut vous sauver la vie.

Sam travaille dans un bureau, dans une banque. Il marmonne du NTM à la photocopieuse, à la machine à café, dans la queue du self — *nouvelle attaque terroriste sur 24 pistes*, il marmonne en distribuant des petits coups de tête. Il y en a qui critiquent, qui disent :

— Ah oui les bourgeois trentenaires qui écoutent du rap, NTM en plus, consternant, régressif, colère à deux balles, révolte à la petite semaine, j'parie que t'as même jamais mis les pieds dans une cité.

Et ils lèvent les yeux au ciel, et ils font tss tss avec leurs bouches et même ah la la, et ils secouent mollement la tête de droite à gauche.

Ils peuvent dire, ils peuvent continuer à ne rien entendre, ils peuvent rester le cul collé au fond de leurs sièges : sièges ergonomiques qui épousent parfaitement la courbe naturelle du dos pour un confort maximal et une bonne assise. Je suis grotesque ? OK, je suis grotesque ; pas de problème avec ça ; bien au contraire. Je préfère être mal assis.

On accuse NTM d'incitation à la violence, on accuse NTM d'encourager la jeunesse à « foutre le feu ». Johnny a le droit de l'allumer, le feu, et les Doors de *light my fire*, mais pour les autres c'est ceinture. Les poètes d'un côté, les vandales de l'autre.

Les vandales prennent la parole.

Le rap est maudit, NTM est maudit. Se traînent des casseroles. Malédiction du texte, malédiction du sens, nécessité de se justifier, méconnaissance de la musique, du pouvoir de la musique, de *la révolution du son*.

La grande affaire, l'obsession de l'apocalypse annoncée, la violence explicite du rap — parasitages. Journalistes, hommes politiques qui n'entendent pas, parasites sur toute la ligne.

Milieu des années 2000, « Émeutes en banlieue », titre la presse. « Banlieues = rap », titre la presse.

Le rap nous intéresse, les banlieues nous causent du souci, on aime les lettres, on se soucie du verbe. La France. Réclamer des explications de texte plutôt que prêter l'oreille.

— Qu'est-ce que nous raconte de beau le rap français ? On s'interroge sur des colonnes dans les gazettes. La jeunesse se révolte, c'était écrit. On fait les fonds de tiroirs, premiers textes de NTM en 1991, l'album « Authentik », et là bingo mais c'est bien sûr : textes prémonitoires, mises en garde, fin du monde prévue de longue date, malaise de la démocratie sur le beat. Messieurs Joeystarr et Kool Shen nous parlent : *Quelle chance d'habiter la France, dommage que tant de gens fassent preuve d'incompétence, dans l'insouciance générale, les fléaux s'installent — normal, dans mon quartier la violence devient un acte trop banal, alors va faire un tour dans les banlieues, regarde ta jeunesse dans les yeux... y en a marre des promesses, on va tout foutre en l'air.* Limpide, visionnaire. La presse titre : « Porte-parole d'une jeunesse en souffrance qui ne voit plus d'autre issue que la violence ». NTM, troubadours des cités, qui tenteraient depuis longtemps déjà d'alerter les pouvoirs publics ; « NTM fait passer un message » — titrent la presse, ma belle-sœur, le groupe UMP. « Faire passer un message », l'expression me crève le cœur, me scie l'estomac, me coupe les jambes.

NTM, bête traquée par les cannibales du sens, insatiables dévoreurs de discours.

Et alors quoi ?

Si les hommes qui nous gouvernent avaient écouté du rap, on n'en serait pas là ? Si Joeystarr et Kool Shen avaient été respectivement ministre de l'Intérieur et ministre de l'Éducation nationale, on n'en serait pas là ? Si on avait considéré le rap comme un art majeur plutôt que comme des braillements vulgaires et inarticulés, on n'en serait pas là ?

Trop tard.

C'est qu'il n'y avait pas de message, il n'y avait que du hip hop.

Le hip hop ne se laisse pas arraisonner par ceux qui arrivent trop tard.

Le hip hop est une puissance de vie, il n'est pas un objet d'étude, il ne fait pas la leçon ; ou si, parfois il fait la leçon (« laisse pas traîner ton fils », « pose ton gun »), mais je ne veux pas le savoir, je le sais déjà, ce n'est pas mon problème, c'est sans incidence, périphérique, anecdotique, négligeable au regard de la puissance déployée, puissance déployée bien au-delà du texte ; texte caillou dans le torrent.

Je n'entends pas la leçon, je n'entends qu'un flow brûlant qui m'assaille.

Le hip hop passe directement dans le sang de ceux qui écoutent, il siffle à peine aux oreilles des indifférents.

Ceux qui — à la faveur d'émeutes urbaines — ont traîné le rap de force sur des terrains impropres, inadéquats, inefficaces — terrains sensés, sociologiques, psychologiques, statistiques — sont passés à côté d'une grande joie, celle de se laisser porter par le flow haletant de Kool Shen, le débit d'une voix crépusculaire à vous couper le souffle.

Malentendu persistant : Johnny c'est du rock, NTM c'est du discours. En réalité c'est l'inverse, NTM hardcore, Johnny chanteur à texte.

Qu'est-ce que le rap ? Une voix posée sur le beat — sur un rythme, des battements, une cadence, une mesure : technique, et non pas contenu. Ce qui est dit importe moins que comment c'est dit. Non pas réciter un texte, prononcer un discours, mais improviser à l'instant — on est en direct.

« Tchatche » serait le terme exact.

Discourir, peu importe ; raconter, peut-être ; mais plutôt chroniquer des vies tumultueuses. Dire ce qu'on a sous le nez, juste là, maintenant, ce qui vient d'arriver à l'instant, ce qu'on vient de ramasser et qu'on a dans la poche, ce qui nous passe par la tête, ce qui nous traverse ; et qui devient matière sonore crachée en rythme, vent du nord soufflé dans nos bronches.

Le rap ne fait pas le tri, il déballe tout, immédiatement et sans contrôle. Jusqu'à la bêtise, la bêtise y compris. Rappeurs butés qui parlent trop vite.

L'argent pourrit les gens, j'en ai le sentiment. Cliché, cliché un peu con, mais pris dans le flow des NTM, pris en étau, cerné, castagné ; plus du tout la même histoire.

On voudrait démonter, analyser le discours rap : ineptie, inconséquence. Musique qui change la vie depuis vingt ans, mais musique qui n'intéresse que ponctuellement, à la faveur d'un débordement de la jeunesse, cité embrasée, banlieue soulevée, avenir bouché. Dossier spécial dans la presse, on dissèque les textes, on souligne en rouge. Mais le rap ne se lit pas, il doit être scandé et écouté — bête sauvage illisible. On voudrait bien prendre le rap par surprise, au lasso, le coincer sur une phrase de trop, se pointer par-derrière, revers du sens ; quand vous dites « foutre le feu » vous voulez bien dire ce que nous voulons que vous disiez ? hein ? Manque de bol, le rap ne se présente que frontalement, toujours par-devers. Pas de procès d'intention possible, pas d'exégèse, même pas d'interprétation. Cela ne se discute pas, cela sonne.

« Foutre le feu », ça sonne bien en bouche non ? Tout ce que ça évoque, tout ce qui résonne, un mot, un monde qui s'ouvre ; rien de plus, rien d'autre, en deçà, au-delà, ne cherchez pas.

Joey : « C'est la presse qui nous a appris que nos textes étaient importants. Nous on faisait du hip hop. »

Nous n'avons rien à vous dire, il n'y a rien à déchiffrer, nous faisons du rap. Faire du rap, comme on souffle du verre. D'abord, le travail au chalumeau, matière malléable et brûlante, puis le souffle qui donne la forme ; verre exclusivement soufflé à la bouche par Kool Shen.

NTM n'est ni un manifeste ni un viatique pour la sociologie des banlieues.

49

— Vous avez besoin de NTM pour saisir le désastre des cités ? Vous n'avez pas la télé ? Vous n'avez pas le RER ?

Le flow excède tous les discours, la langue de NTM déboule, caillasse, sourde au ronronnement des opinions calibrées. La langue de NTM est irrécupérable, big flap.

NTM ne veut rien nous dire, Nique Ta Mère ne signifie rien, les mots-cailloux de Joeystarr et Kool Shen ne signifient rien, ils nous prennent par la peau du cul, ils signalent — comme toutes les insultes, comme tous les slogans, qui ne font que signaler —, ils signalent que leur position est radicale, que l'envie d'en découdre, que la rage, la fièvre, les forces sont décuplées.

Aucun message, aucune revendication, pas de communication qui tienne, rien à déclarer, mais de grands panneaux sonores éblouissants, assourdissants. Ne pas prétendre dire la vérité mais avoir le dernier mot. La parole rap n'exprime rien, elle s'affiche, collée sur les murs, collée au fond de nos oreilles. Grande gueule.

Kool Shen et Joeystarr en bleu de travail, commando, seaux de colle, balais-brosses et pinceaux, affiches dans la sacoche. Ils s'introduisent dans les salons, les chambres à coucher, les radios locales, les boîtes de nuit, les écouteurs des ipods, ils visent les oreilles et collent en un rien de temps, un coup de pinceau et c'est bon, vous vous grattez l'oreille, ils sont déjà loin. Taguer, afficher, enduire la ville et ses habitants.

Refuser que les rappeurs soient les petits rapporteurs du civisme qui fout le camp. Affirmer que dans le hip hop la politique porte bien au-delà, mouvement perpétuel, courroie de transmission, corps à corps entre le son et nous ; entre un monde bruyant, inépuisable, et nous.

Oui, bien sûr, le rap est une musique populaire française grandie en même temps qu'une nouvelle classe sociale et culturelle, mais le rap emmerde la musique et le socioculturel, et met le feu. Non pas appel à brûler les banlieues, les écoles, les ministères, les bagnoles, mais plutôt danse du feu, feu aux joues, feu qui consume les cœurs, feu sacré, puissance de feu, flamme dans vos yeux, volcan, feu au fond de la caverne, au centre de la terre, flamme olympique, feu du désir. Le feu de *comment je me sens*. Feu lyrique.

Oui, bien sûr, les mots ont de l'esprit, mais ne pas oublier d'être attentif aux sons. Mots ni anodins, ni innocents, qui déplient des plis oubliés, qui raniment des forces enterrées, qui réveillent tout ce qui dort enroulé dans l'entrelacs de nos vies. Parler sans autre but que de ranimer ces forces, parler pour l'effet, juger une parole à l'effet produit, juger une époque à son rythme.

J'habite l'époque qui a vu naître NTM, je l'aime, j'aime son pouls saccadé, improvisé, j'aime ses hoquets, ses intonations traînantes, sa démarche chaloupée, son bling bling, ses airs de défi. NTM enfant de l'époque et antidote à. NTM amoureux de son temps et furieux contre. Je l'aime parce que c'est nous tous entre 1991 et 1998.

J'aime NTM qui aime son temps, un temps étourdissant. Joeystarr et Kool Shen n'ont pas fini de bénir le bruit ambiant, le fracas des roues du métro sur les rails ; n'ont pas fini de bénir l'ère industrielle, les transports en commun, les cheminées d'usine, les échangeurs d'autoroute, les sirènes, les travaux publics, le périph, la poussière. Le secret : aimer son temps et ramasser tout ce qui traîne ; gober tous les bruits de la ville ; se trouver dans les meilleures dispositions à l'égard de son environnement le plus proche. Ne pas porter trop loin le regard, ne pas espérer ou regretter, prendre ce qu'il y a avec joie et impatience ; même le pire, même le plus sale.

Joey et Kool Shen chiffonniers du contemporain, qui ramassent, se baissent, amassent.

Les chiffonniers ne représentent personne, ils turbinent. Pas plus de représentation que de discours.

Deuxième malentendu : NTM porte-parole de la jeunesse. La jeunesse, oui ; porte-parole, non.

Kool Shen : « Je ne représente pas la cité, je ne représente pas les gens qui habitent dans mon escalier à la cité, c'est-à-dire que je peux représenter le mec du deuxième, mais le mec du troisième il a envie de me pendre. » Si le rap est porte-parole, si le rap est porte-voix, c'est au sens strict : NTM porte la parole — sur son dos, sur sa gueule —, porte la voix, l'amplifie — chambre d'échos. Haut-parleurs pas leaders, grandes gueules pas militants. *Je ne suis en aucun cas politicien, tout au plus chroniqueur simple reporter.*

NTM lyrique, populaire, underground ; mais

n'appelle pas à faire la révolution. Chez NTM tellement plus de bonheur que de colère, tellement plus de fun que de colère, tellement plus de désir. Entière et saisissante présence à soi de la jeunesse, jeunesse avide qui fait, qui fonce ; jeunesse frontale. Son goût du jeu, de la provocation, courir plus vite entre les blocs pour semer les flics.

Jeunesse à prothèses auditives invisibles, sous pression du son, qui court dans les rues, se refile les écouteurs comme des plongeurs le détendeur.

La jeunesse entend bien, la jeunesse est pro-grammée pour le son, la jeunesse est déchaînée, moteurs débridés, niveaux sonores dépassés. La jeunesse pardonne tout, sauf le défaut d'écoute ; elle ne pardonne pas à ceux qui n'entendent rien, qui n'entendent rien à NTM ; et ce jour-là elle a envahi le palais de justice.

Le juge en perruque blanche aime le be-bop jazz, c'est un atout pour la défense.

Il y a eu scandale, plainte, intervention de la justice, et aujourd'hui procès.

La jeunesse a forcé portes, fenêtres, issues de secours, soupiraux, Velux, pour accéder au tri-bunal. Bondé. Cinq cents personnes pour une capacité de deux cents. Mobilisation populaire pour ne pas laisser faire, réunion du posse. Le procès va commencer. Brouhaha dans la salle, ghetto blasters en sourdine, b-boys et fly girls, Joeystarr et Kool Shen à la barre, bonne ambiance.

L'affaire NTM.

Concert à La Seyne-sur-Mer le 14 juillet 1995 : Kool Shen et Joeystarr encouragent le public à lever le majeur en criant « nique la police », le public s'exécute dans la joie d'être là. La plainte ne se fait pas attendre, elle est déposée le lendemain, motif : « propos outrageants envers les forces de l'ordre ».

En novembre 1996 NTM est condamné à six mois de prison dont trois ferme, avec interdiction de se produire sur scène pendant six mois. En appel, la condamnation descend à deux mois de prison avec sursis.

Les rappeurs ont toujours aimé asticoter la police, c'est une tradition, un gage de bon pedigree, souvent de bonne guerre, une manière de défi, un jeu du chat et de la souris ; ça fait partie du boulot.

Au palais de justice de Toulon les avocats de NTM avaient apporté des cassettes : « Sacrifice de poulets » de Ministère Amer, « Fuck the police » de Niggers With Attitude, « Cop killer » d'Ice-T. On ne les avait pas en cd, il a fallu trouver un lecteur cassette dans le palais, déjà en 96 ça ne se faisait plus beaucoup les lecteurs cassette. On a finalement mis la main sur un poste Radiola oublié dans un placard. On a pu écouter, le son grésillait, mais les avocats étaient contents. Ils ont défendu la culture rap, une esthétique de la rue, la liberté d'expression, la tradition provocatrice, licencieuse et révolutionnaire de la chanson française (déjà les troubadours). Ils ont évoqué avec emphase et conviction la violence ludique et exutoire, mesure du pouvoir de résistance de l'individu aux coups reçus. Ils ont parlé du rap comme insurrection sonore, ce rap salvateur et vivifiant qui vandalise la culture en place, qui fait obstacle au train où vont les choses. Ils ont affirmé que la violence c'était du style, le style des plus grandes œuvres, et là ils ont cité sans se démonter : Shakespeare, Homère, la Bible, et Tarantino. Le public chavirait d'émotion et de reconnaissance, la salle du palais de justice vibrait à l'évocation lyrique des grands mythes. Les avocats sont malins, ils savent bien que seul le discours de l'art peut être entendu. Au nom de l'art tout le monde suit, au nom de l'art on dépose les armes, on se décrispe, on s'accommode. Au nom de l'art la dignité leur sera rendue. Joeystarr et Kool Shen artistes, pourquoi pas, s'ils sont libérables.

Les avocats n'ont pas terminé, ils s'enflamment, portés par la foule, s'attaquent maintenant à ce monde périmé qui n'aime pas ceux qui parlent fort, la France, alors que là-bas, aux États-Unis, au moins, on aime ceux qui l'ouvrent, on les aime et on les respecte, on n'a pas peur de la vulgarité, là-bas hausser le ton est une vertu, en faire trop un atout sur le cv, la trivialité une acuité de l'esprit. La France n'aime pas les prestations publiques bruyantes, les proclamations obscènes et impures, la France n'aime pas le mauvais goût, mais le mauvais goût est une forme subtile de la résistance Monsieur le Président.

Applaudissements dans la salle, human beatbox d'approbation. Le juge en perruque blanche qui écoute du be-bop jazz frappe avec un petit marteau de bois rondouillard rapporté de son dernier voyage en Amérique. Appel au calme, on n'est pas en freestyle ici. La séance est levée. Faites du bruit. *Bring the noise* disait Public Enemy.

La politique s'en est mêlée. La gauche a condamné la décision de justice à l'encontre de NTM — avec une parfaite unanimité. La droite s'est retrouvée divisée, pas à l'aise : unanime pour admettre que la décision du juge était excessive, mais aussitôt partagée en deux camps. D'un côté ceux qui mettent l'accent sur la gravité du délit sanctionné et assument la répression. De l'autre, ceux qui préfèrent prendre leurs distances, de peur d'être associés aux lepénistes. Les premiers sont emmenés par Édouard Balladur qui déclare : « Je trouve normal que ce qui est un appel à la violence soit sanctionné » ; Raymond Barre renchérit : « Je n'ai aucune sympathie pour un groupe qui s'appelle Nique Ta Mère » ; François Léotard en remet une couche : « Cette condamnation est une excellente décision » ; et enfin Éric Raoult conclut, en suggérant à NTM de « niquer le racisme, la violence ou le sida plutôt que la police ».

Jacques Toubon est à la tête des seconds. Le garde des Sceaux de l'époque fut « frappé par la sévérité de la sentence », demandant au parquet de faire appel. Philippe Douste-Blazy enchaîne : « Nous devons nous battre pour la liberté d'expression. » Fil du rasoir pour la droite, équilibre à tenir, à la fois satisfaire la majorité silencieuse en faisant preuve de fermeté, et ne pas se couper de la jeunesse. Jeunesse patate chaude, bombe à retardement.

En 1995 quelques hommes politiques ont ainsi accordé, ponctuellement, droit de cité au rap. Ils ont bien voulu s'y pencher un instant, en raison des stigmates sociaux de ceux qui en sont à la source ; pour cette seule raison. Banlieues, cités, tout ça, masse informe et menaçante qui grouille au loin. Le vécu social plutôt que la vie. La jeunesse pardonne à tous sauf à ceux qui font semblant. Elle ne pardonne pas cet intérêt factice et inepte pour le rap, le rap considéré comme révélateur et témoin d'un horizon social sinistré, le rap-fait de société. Elle ne pardonne pas cette approche strictement sociologique du rap qui le vide de sa substance, du spectaculaire de ses formes. Je ne dis pas qu'il n'y a pas de banlieues, je ne nie pas que là-bas plus qu'ailleurs gronde le flow, je dis bout de la lorgnette du cerveau, pensée atrophiée, regard mal porté, mal vu, passé à côté, et je dis puissance du rap manquée. Le mépris social nous oblige à invoquer l'art, à ramener la science. On aurait préféré éviter, mais le mépris social contraint la jeunesse et les avocats à brandir le mot : art. Didier Morville et Bruno Lopes, artistes en rap, créateurs en flow. Amplificateurs de vie, détonateurs du réel, rappeurs aux mœurs rugueuses, et qui ont décidé que le moment était venu pour eux de faire œuvre, autrement dit de « mouiller le maillot ». Œuvre = maillot mouillé. Ou comme le dit Kool Shen : « mettre son slip sur la scène ».

Je connais un garçon de vingt-huit ans qui porte des cols roulés jacquard (laine mérinos l'hiver, coton peigné l'été), qui écoute de la chanson française — « pour la qualité des textes ». On en parle, on tombe d'accord pour dire que le rap c'est le contraire de la chanson française, pas forcément l'exact inverse mais l'ennemi intime.

Le rap *s'installe à la table de la variét' et vient tacher la nappe*, ce sont eux qui le disent. Le rap s'est construit contre la chanson, contre la mélodie. Contre la servilité de la chanson, qui donne tout au texte, contre l'harmonie sucrée de la phrase musicale épousant la phrase verbale, main dans la main, regard coulé vers l'horizon, yeux dans les yeux, voix et instruments sur une même ligne. Unité mélodique, rythmique, affective ; un même souffle, un même but, l'émotion au bout du chemin. Je vois rouge à entendre la jeune scène française, celle qui a mon âge, et qui raconte des histoires — petites et tendres et cyniques. J'ai mes défauts mais je ne suis pas cynique, je préfère la frontalité bête du rap à l'ironie douce-amère des chanteurs à textes. Pas tant la médiocrité des textes que cet équilibre doucereux, cette harmonie, cette constance : chape de plomb. Tout est prévisible, rien n'inquiète, le monde est suspendu. Les chanteurs à textes n'entendent pas, ils n'entendent pas le brouhaha ambiant.

Kool Shen et Joeystarr ont choisi de rapper, plutôt que de chanter, persuadés qu'ainsi ils seront plus justes, au plus près des mouvements du cœur, des rumeurs des villes — mélange ahurissant de bruits, de souffle, du cliquetis des hommes au travail, de machines qui tournent, de grues qui tractent. La chanson ne saura jamais rien dire de ce fracas. Le chanteur parle au-delà, embellit, vernit, sucre, s'arrange avec le réel, le chanteur fait des manières. Le rappeur parle en deçà.

Foncer dans le tas, rentrer dans le lard de la

mélodie, le rap ne fait pas dans la dentelle, paroles et musique au taquet, se tirent la bourre, rivalité, clash sonore, confrontation du mc et du dj, la voix qui parasite le mix, la musique qui n'accompagne plus la voix et la met au défi. La musique veut la peau du texte et vice versa, Joeystarr veut la peau du texte, la peau du texte qu'il a écrit en sirotant des petits punchs à la Chapelle, parce que le dire vaut tellement mieux que l'avoir écrit. Dans les tréfonds de son corps caverneux le texte est mis aux fers, émasculé, écartelé, massacré, eviscéré, il ne reste bientôt plus que ses nerfs douloureux, à vif, *laisse-moi zoom zoom zang dans ma benz benz benz.*

NTM torture la phrase, NTM empoisonne la mélodie.

Avis de décès de la mélodie, tombée au champ d'honneur.

Pump baby, monte sur mon Seine-Saint-Denis fonk.

La mélodie à terre, tête dans une flaque de boue et de sang, et le pied de Joeystarr (boots Timberland modèle roll-top blanches) qui écrase méchamment au sol cette tête pleine de bons sentiments.

Guerre à la chanson française qui ressasse et ressasse encore : le temps qui passe, la perte d'un amour aimé, les sentiments, tous les sentiments, tout ce qui peut se faire comme sentiments, le rayon entier, tout le magasin. Partout de l'amour enfui, du désir fou d'évasion, et les petites choses de la vie, et l'amour et la mort. Chanter comme si on allait mourir demain. Natasha Saint-Pier et Pascal Obispo : *Si on devait mourir demain, qu'est-ce qu'on ferait de plus, qu'est-ce qu'on ferait de moins ?* Chansons pour pleurer, se soulager, oublier, partir, rêver, voyager, évacuer, chansons qui nous ressemblent, chansons pour l'imagination.

NTM parle à nos muscles.

Le rap a remplacé la rêverie par la technique. Penser à comment poser ma voix sur le rythme des basses.

Le rap a remplacé l'écriture du sens, de l'émotion, par l'écriture de la voix.

Joeystarr rappe et j'entrave que dalle. Texte inaudible. Je descends à toute berzingue une piste de bobsleigh, je me laisse porter par le débit ivre de Kool Shen, et Joeystarr qui racle les mots, je perds le fil, l'élan de leurs voix me laisse loin derrière, le texte m'arrive défait, fumant. Je peux les entendre dix fois, cent fois sur scène, rien n'y fera, performance toujours recommencée, scansion réinventée à chaque passage.

— On capte rien à ton rap.

— C'est fait exprès, c'est tant mieux, c'est pour que tu ailles à l'essentiel, que tu entendes bien, distinctement, le bruit, le bruit tout autour, que tu le sentes dense et rêche sous tes doigts. Tu sens comme ton corps se fond, se dissout dans le son ? Coulé dans la matière sonore comme dans un moule, encastré, emplâtré, tu n'existes plus. Dissous mais jamais aussi réel que dans cette dissolution, tu n'existes plus, tu es un gros bloc de son compact et lourd comme du granit. C'est parce que tu ne comprends pas les paroles, que la tête est solidement prise en étau, que le texte dans ta tête a été liquidé, et qu'à la place s'étend comme une marée noire le flow ininterrompu à gros bouillons du Suprême NTM.

— Tu dis que tu ne comprends pas, que tu ne comprends rien. Mais est-ce que tu y comprenais quelque chose quand tu écoutais les Clash à quatorze ans ? Et aujourd'hui ça n'a pas changé, tu ne comprends toujours pas ce que te dit le rock anglais, tu ne saisis pas, pas grand-chose. Peut-être un mot ou deux, peut-être une phrase par-ci par-là. Tu te fous du texte et tu adores le rock anglais. Tu ne parles pas cette langue, ça n'a aucune importance, tu es saisi par la musique, des intonations, une énergie.

Le rap a commencé sur de simples onomatopées, il est venu comme un coup de tonnerre sur la pierre. Des mots en forme d'oursins dans le gosier de Joeystarr. Joey qui dit « moins c'est littéraire mieux c'est », plus c'est bruyant mieux c'est. Pas la main qui écrit mais la voix, la gorge, la voûte palatale, le diaphragme, la glotte, l'abdomen. Ce qui s'appelle avoir conscience de son corps, ce qui s'appelle une présence à soi, ce qui s'appelle avoir un physique ; Joey transforme les mots en nervosité sonore.

Transmettre sa nervosité, transmettre son stress, je ne demande que ça, qu'on me transmette son stress. La musique ne calme pas mes nerfs, elle les chauffe à blanc.

Je ne fais de bonnes choses que stressée. NTM me porte sur les nerfs, c'est une bénédiction.

Un mot, quelques syllabes, qui me tapent sur

le système, je m'y accroche, crispée, tendue, percluse de crampes, et je prends le train de la phrase. C'est toujours comme ça avec la musique, on s'accroche à un mot et on prend le train. Quand j'écoute « Sympathy for the devil », je m'accroche et mon cerveau grésille sur *pleased to meet you*. Le texte ne m'importe pas, mais il y a des mots — qui ne sont pas anodins. Il y a toujours un, deux, trois mots qui déclenchent quelque chose, un mouvement, un geste, qui fixent toute l'attention, toute l'énergie, qui m'aspirent, me vrillent les nerfs. Il y a par exemple le mot « feu », le mot « bombe ».

La greffe du stress prend toujours sur NTM, sur la scansion affolée du verbe, *nationale est la lobotomie que nous acceptons, il n'y a pas de couleur pour être cartonneur.* Une batterie déglinguée au fond des artères, empire du rythme. Le beat qui fédère, cellule rythmique initiale insécable, échantillon mis en boucle, et sur lequel viennent se fixer, s'imbriquer une multiplicité d'autres événements rythmiques, une multitude de lignes superposées, contaminées, qui s'appellent, se toisent, se répondent, se provoquent ; et ces lignes à leur tour perturbées, déviées, agressées par d'autres événements singuliers, par d'autres motifs : bruits, scratches, séquences parlées. Un fourbi inextricable, et aux platines le dj Concepteur Détonateur S.

Faire du bruit.

Matière bruyante, poisseuse, abrasive, qui colle au visage.

C'est la voix du réel le soir au fond des cités.

C'est le chant des villes, les pulsations du contemporain, la frénésie urbaine, les soubresauts des mouvements de foule, ce sont les sirènes, les flashes des gyrophares, les vrombissements des travaux, les accidents, les crissements de pneu. Chocs auditifs amplifiés par la voix incendiaire de Joeystarr. NTM retourne à l'envoyeur les spasmes de la ville, les dissonances du béton. On ne fait pas plus moderne que le rap, plus industriel, plus historique ; c'est le poumon qui absorbe et recrache les bruits du monde ici et maintenant. De la cage d'escalier, du poste de police, du poste de télévision, de la piste de danse, de la chambre à coucher, de la dalle et de la tour au douzième étage, du centre commercial, des couloirs du métro, des voies rapides déboulent coups de feu, appels au secours, sonneries de téléphone, conversations, râles, cliquetis, clameurs, rires, interpellations, allumettes qui craquent, souffles, clés dans le contact, pots d'échappement. Le rap dérobe, démantèle, démembre, insère, digère et mouline tout ce qui lui passe sous la main, tous les événements acoustiques, tous les sons déjà là, toutes les musiques déjà composées ; un sample de James Brown, un solo de trompette, trois notes au piano d'une chanson populaire, un coup de feu, un jingle pub, un fragment de discours politique, un générique télé, une ligne de musique classique, et le rire de Joeystarr ; extractions, invasion du réel, trivialité joyeuse et bordélique. Le bruit de tout ce qui arrive, événements, objets, gestes qui résonnent. Et au milieu coulent Joeystarr et Kool Shen — leur démarche souple —, ils quadrillent les lieux, vêtus comme les princes ostensibles de la modernité, Com8, 2high, Boss, IV My People,

leurs marques, la frime, de l'or, parés des attri-
buts de leur temps ; rap ostentatoire.

La rumeur de nos vies dans les villes s'y
engouffre sans qu'aucun filtre l'épure. Sous la
pression constante du tumulte public, le rap explose, exulte, vrombit, rugit, vomit, grince, éructe.
Hyperréalisme verbal, inflation sonore. Le clou
du réel enfoncé dans nos oreilles.

Le cliquetis des trousseaux de clés des gar-
diens, les pas lourds dans les couloirs de la
prison, et les portes blindées qui se referment
dans « Est-ce la vie ou moi » ; la cloche dans
« J'appuie sur la gâchette » ; le reporter de guerre
dans « En direct de Bujolvik » ; les échanges
radio grésillant dans « Police » ; les coups de feu
dans « Plus jamais ça » ; la sonnerie du réveil
dans « Le rêve » ; le brasier dans « Qu'est-ce
qu'on attend pour foutre le feu » ; la bille de
plomb dans la bombe de peinture qu'on agite
dans « Paris sous les bombes ».

À l'affût, branchés sur CNN et le Kentucky
Fried Chicken, en duplex avec ta cage d'escalier
et le wagon du RER, reliés par oreillette infra-
rouge à la tour TF1, aux bureaux de l'Élysée et
au niveau moins 3 du Forum des Halles, Joey-

starr et Kool Shen sont branchés, soudés en temps réel à la marche du monde.

Il arrive qu'on les croise à la tombée du jour dans les rues de la capitale, marchant à vive allure, avançant de front sur les trottoirs encombrés par des blocs compacts et indolents de promeneurs qui oscillent de gauche à droite, ils se frayent un passage de biais, de profil, ils jouent des épaules, ils cherchent du bruit, de nouveaux échantillons. Ils ont trouvé quelque chose : moto Guzzi, modèle Breva V 1100 rouge qui démarre.

Shoote-moi ça double R. Joeystarr pousse un râle funèbre et reproduit à l'identique le fracas du moteur, moteur avalé par un ours au fond de la caverne. La voix de la civilisation et du progrès, des puits de pétrole, du haut débit. Les cheminées et les pots d'échappement assombrissent le ciel, l'air est moite, les oiseaux volent bas, nos rêves de confort sont dévastés.

Ils reprennent leur course dans la ville, le trottoir est un caisson de basse, ils collent leurs oreilles au bitume, ils entendent venir les Indiens scalpeurs de son, des passants enjambent leurs corps secoués de spasmes, ils sont coulés dans l'asphalte, ils lèchent le sol avec avidité, *toute la semaine t'es en train de frotter ta gueule par terre*, ils tombent dans une bouche d'égout, ils sont avec les rats, ils dansent avec les rats, qui aiment la ville, qui aiment les bas-fonds ; underground.

Le rire de Joey qui résonne, se répand dans les artères des égouts, remonte à la surface, amplifié. On en parle au journal de 20 heures, « une bête mystérieuse habiterait-elle les sous-sols de la capitale ? ».

On n'ose pas aller y jeter un œil, on enverrait bien le GIGN.

« Aujourd'hui à 18 h 30 s'est fait entendre dans tout Paris un râle terrifiant et innommable remontant des égouts ; le cri a duré une dizaine de secondes, paralysant de terreur passants et automobilistes, provoquant mouvements de panique et embouteillages monstres. »

Sur chaque morceau de NTM le monde qui gronde, parasites sur les ondes, réel en embuscade, super modernité qui s'annonce. Monde entier qui s'invite aux séances d'enregistrement, foule massée dans le studio, dizaines, centaines, milliers de personnes qui poussent derrière, hordes de supporters. NTM ne vient jamais seul, Joeystarr et Kool Shen derrière le micro et gravés sur le disque la rumeur des grands ensembles, les klaxons, les insultes, les cris, la Seine-Saint-Denis.

Séance d'enregistrement du prochain album. Le studio est toujours un calvaire pour Joey et Kool Shen.

On conseille à l'ingénieur du son d'avoir les nerfs solides. Une vitre les sépare, d'un côté le technicien, de l'autre les rappeurs. Sauf que. Il y a un problème. Pour le moment Joey et Kool Shen se contentent de chauffer la voix, détendre les mâchoires, respirer, articuler une ou deux syllabes, faire les balances. Mais de l'autre côté ce qui parvient aux oreilles de l'ingénieur du son, sidéré, c'est bien le brouhaha d'une manifestation, le fracas d'une barre HLM qui s'effondre, le bruit assourdissant de la tempête et de la révolte, d'une mer démontée et des barricades. On ne s'entend plus.

L'ingénieur du son, tétanisé, qui voit se refléter sur le sourire en or de Joeystarr le micro en argent dans lequel il s'apprête à donner de la voix, à éructer. Ça fait des étincelles, métaux conducteurs, court-circuit, si les dents s'approchent trop près du micro, les plombs vont sauter c'est sûr. Ils n'ont pas commencé à chanter et leurs corps vibrent déjà d'électricité. Leurs bouches vont s'ouvrir et ce sont des centrales nucléaires. *C'est qu'on fait pas partie de la solution mais bien plutôt du problème*, la vitre se fissure, se lézarde comme sous l'effet de résidus d'éclats d'obus, impacts de balle sur du verre Securit. L'ingénieur du son n'ose pas donner le coup d'envoi, de peur que le studio ne s'effondre, que les parois insonorisées ne tombent en lambeaux.

— C'est de la science-fiction ces types.

Tu ne crois pas si bien dire. Deux corps imprévisibles à l'étroit dans le studio d'enregistrement. Le corps de Joeystarr manifestement pas aux normes, pas aux normes d'habitation, pas aux normes de sécurité. Ne jamais enfermer Joey dans un espace clos, son corps enfle, sa voix se gonfle, aucun matériau ne résiste à une telle pression. C'est hormonal, c'est physiologique, c'est de naissance ; Joey ne supporte pas les habitacles réduits. Il faut faire vite, enregistrement au pas de course.

— Le temps nous est compté.

Quand Joey, enfant, était enfermé à l'école ou à la maison, son corps saturait très vite. Au bout d'une heure ou deux il présentait des symptômes alarmants : tête qui enfle et qui bourdonne, yeux exorbités, muscles bandés, décibels de la voix à faire péter un service en cristal, veines saillantes, tension élevée, salive excessive, abdomen raidi, lèvres retroussées, hoquets, mais aucune douleur, bien au contraire. Le petit Didier se sentait en pleine forme, juste un peu à l'étroit dans cette salle de classe, dans sa chambre d'enfant.

On faisait à chaque alerte venir les pompiers mais c'était à n'y rien comprendre. Tout avait l'air normal, plus que normal même, très encourageant, ce petit garçon était en parfaite santé.

On l'a quand même envoyé à la campagne, au grand air. Deux mois d'été dans une ferme du Berry, pour voir si les crises se calmaient. Elles se sont calmées, elles ont disparu, mais elles ont fait place à bien pire : Didier qui n'est pas un gars de la campagne crevait d'ennui et de désœuvrement. Trop calme, trop monotone, trop isolé.

Parfois le bruit d'un tracteur le ramenait à la vie, le grognement strident d'un cochon qu'on égorge, une moissonneuse-batteuse qui déraille.

Didier était à l'affût du moindre fracas, même étouffé, qui le sorte de sa torpeur. À la campagne pas de métro, sans le métro le petit dépérissait. À la campagne peu de béton, sans le béton le petit se desséchait. À la campagne pas de pollution, sans pollution le petit étouffait.

Il n'a pas fait long feu dans le Berry, la famille d'accueil l'a renvoyé à Saint-Denis au bout de deux semaines, dans un état critique : anémie, dépression, chutes de tension vertigineuses. C'est en véhicule sanitaire qu'il a fait le voyage du retour.

Chez les super-héros les premiers symptômes se manifestent dès le plus jeune âge.

Après cet épisode — il n'avait que six ans — Didier a vécu essentiellement dans le métro, son dehors à lui, bétonné, en sous-sol. Le métro, avec ses kilomètres de tunnels, de couloirs et de quais, ses horizons sans fin, le vent qui s'y engouffre. Il y était parfaitement adapté, parfaitement heureux.

Dans l'atmosphère confinée du studio d'enregistrement Kool Shen aussi semble mal à l'aise. Il manque d'air pour son phrasé, encore une heure à ce régime et il étouffera. Les ambiances insonorisées pèsent sur ses poumons, il fait de l'asthme. Casque sur les oreilles, il halète, il souffle comme un bœuf, il bloque sa respiration.

Lui aussi tout petit déjà. Il avait besoin du grand air ; ce n'est pas qu'il suffoquait mais plutôt que son souffle était surdéveloppé. De formidables facultés respiratoires, qui en auraient fait un athlète incomparable. Mais il a abandonné le foot pour le rap. Enfant il inspirait et expirait très fort, bruyamment, avec une régularité étonnante, s'en mettant plein les poumons. Il parlait vite, aspirant l'air, le siphonnant comme un coureur du cent mètres juste avant l'effort.

Là aussi les médecins demeuraient interdits devant un tel mystère, et un tel prodige. Bruno était en parfaite santé, et présentait d'excellents résultats aux tests d'endurance. Il a pratiqué l'apnée en piscine dès le primaire et fut champion de France junior en 1982. Sa mère l'aurait bien inscrit à un cours de clarinette, persuadée qu'il excellerait dans cette discipline, mais il a refusé — « truc de bouffon ta flûte ».

Les jours de grand vent il aimait passer du temps dehors sur le toit des immeubles à inspirer l'air de la tempête, face aux bourrasques, tête renversée, torse nu. Petit gabarit, ses pieds décollaient du sol.

C'est dire à quel point pour Joey et Kool Shen le studio est une torture, une épreuve fastidieuse et répétitive. C'est Joey qui supporte le moins bien, Joey qui n'aime rien tant que l'improvisation et qui une fois de plus n'a pas écrit ses textes, qui arrive les mains vides, qui se trouve encore mille excuses — mon pit-bull chez le vétérinaire pour le rappel du BCG.

Ne jamais oublier la rue ; pas le mythe des origines mais les meilleures conditions d'exercice, les plus stimulantes. Il leur faut de la place, de l'espace, la rue ou une scène. Partout ailleurs, claustrophobes.

Le rap n'est pas une musique de studio, il n'existe que dans l'actualisation d'une performance inépuisable, il n'est que la manifestation tapageuse, improvisée et subite du rappeur frimeur. Il permet de parader bien sapé, de faire voir muscles et tatouages, d'étaler or et bijoux.

Dans les années 90 NTM c'était des tubes, aujourd'hui ce sont des tubes + notre histoire.

Le monde de demain, quoi qu'il advienne nous appartient, la puissance est dans nos mains, alors écoute ce refrain.

Dans des bars pas regardants, dans des caves aménagées de pavillons du 94, dans des studios parisiens, le dj jouait NTM. Certains savaient un peu le smurf ou le break au sol, esquissaient vite fait des pas de danse spécialisés, flip flap, pass pass, lockin'. En freestyle et en amateur, on manquait de technique. On s'entendait bien avec les rockers — cause commune —, on a su plus tard que Joey enfant écoutait Trust et AC/DC : « Aujourd'hui le rock'n'roll c'est nous et on va vous montrer tout à l'heure. » Nous aussi on voulait montrer aux rockers que désormais le rock'n'roll c'était nous. Ultra rock sur le dancefloor. Cours de tectonique des plaques sur le dancefloor.

On avait retrouvé le tapage rock des années 50, puis 60, et 70 ; à nouveau les voisins qui portent plainte pour nuisances sonores, les gamins qui se crèvent les tympans, les malaises dans les concerts, la bourgeoisie qui prend peur, les parents qui se font du souci, les voyous. Il était temps que le rock revienne. Et les stars. Et les pochettes d'album, les posters au mur.

Sur la couverture du premier album, juvéniles et hautains, mentons levés pointés, sûrs de leur jeunesse insolente, entourés de leur posse. Sur le deuxième album, un flingue au sol. Sur le troisième, toujours entourés, dans l'ombre bleutée des sous-sols : des nez, des bouches, des casquettes, des capuches et des spliffs. Sur le dernier album, face A et face B, Joeystarr et Kool Shen, statufiés au tungstène, fauves, bandits, leurs gueules sombres plein pot, et chaque détail saillant. Les paupières gonflées de Joeystarr, ses cheveux massifs, une bouche prête à mordre, Joey baisse les yeux sur vous ; vous êtes en dessous. Le front ridé maintenant de

Kool Shen, regard embouti dans l'obscurité, les joues creusées par le flow, l'inspiration, l'expiration, l'extrême concentration.

Retrouver le rock, déblatérer à tort et à travers, ne plus vouloir dormir, boire, fumer, se droguer, et aller à des concerts. Tellement de choses à faire.

Quand Joeystarr et Kool Shen seront vieux, vraiment âgés, voûtés, ralentis, diminués, quand les tatouages de Joey seront devenus invisibles et flasques dans les plis d'une peau en nappes ridées et distendues, quand Kool Shen crachera ses poumons comme un fumeur de maïs enfiévré, alors ils seront devenus d'excellents grands-pères, le genre de grands-pères qui savent raconter des histoires à leurs petits-enfants. En 2046 les petits-enfants seront très regardants sur la qualité des histoires qu'on leur raconte. Les contes et les mythes n'auront plus la cote, il faudra être plus hardcore.

Les petits-enfants de Kool Shen et Joeystarr seront vernis, ils auront droit au meilleur : histoires de baston, course-poursuite dans le métro, procès, prison, défonce, succès, argent, pit-bull, bling bling. Le soir à la lumière de la veilleuse le récit des formidables tournées de NTM, tout le monde dans le bus et le tour de France, jusqu'aux Antilles. Et les petits demanderont, les yeux mouillés, retardant encore l'heure du coucher : Dis Papi, c'était quoi le mieux dans NTM ?

Le mieux dans NTM c'était les concerts, la scène. Tout le monde vous le dira.

— Tu sais petit, finalement quand j'y pense, rien ne vaut la scène. La scène c'était pour moi le seul lieu valable, là où j'étais le meilleur, indétrônable, le reste était anecdotique, toujours un ton en dessous, sur scène on aurait dû m'y maintenir de force, je n'aurais jamais dû en descendre.

Le rap est rock'n roll. Parce que la scène y compte plus que tout, parce qu'elle est l'occasion d'un déchaînement de forces toujours supérieur à ce qui s'est fait jusque-là. Renchérir en permanence.

Le rap est fait pour la scène et pour aucun autre lieu, à peine pour un studio d'enregistrement, à peine pour ma chaîne hi-fi, à peine pour la FM, à peine pour mon autoradio, à peine pour une soirée.

Pourquoi la scène ?

Le rappeur est bon quand il s'écoute parler, pas quand il se regarde écrire ; sur scène il fanfaronne. Le métier de fanfaronnard.

Le rappeur posera pour la postérité avec un micro, pas avec un stylo.

Le rappeur est praticien, pas théoricien, un homme du live.

Le rappeur est fait pour le public, il n'a pas de vie privée, il ne sait même pas ce que ça veut dire, on ne peut pas avoir de vie privée dans le métro avec treize potes qui font le guet.

Le rappeur est frimeur, hâbleur, pas poète inspiré reclus.

Le rappeur improvise, ne prend pas le temps de la réflexion, ne prend aucun temps, ne calcule pas, ne prévoit rien.

Le rappeur est bête, bête comme le sanglier tête la première.

Le rappeur n'est pas délicat, il prend par la peau du dos, balance dans le vide, sans sommations.

Le rap n'est pas de la littérature, c'est de la physique.

Se dissimuler derrière les textes, par peur des corps. Terrifiés par son corps imprévisible et bouillonnant. Écrire, on peut toujours, mais le corps de Joeystarr, inenvisageable. Nous devrions avoir honte, honte de nos corps atrophiés et impuissants, nos corps qui n'arrivent pas à la cheville de Joeystarr. Nous ne monterons jamais sur scène dans le costume de NTM, qui nous brûlerait la peau comme de l'acide. Nous n'aurons jamais au fond de la gorge cette voix qui se jette sur sa proie à la vitesse du puma. Personne n'a rien vu passer et tout le monde est mort. Il faut rendre justice au puma.

Des souvenirs de concert, fans bousculés, fans écrasés dans la fosse comme les déchets dans un camion-poubelle. Le 24 novembre 1998 au Zénith de Paris je rencontre Sam ; qui ne se déplace jamais sans un sonomètre digital, pour prendre à chaque fois la mesure de l'événement. Appareil sorti en toute occasion : concert, course automobile, piste d'aéroport, défilé du 14 Juillet, locomotive, roulette du dentiste, boîte de nuit. Œil rivé aux cristaux liquides, aux chiffres, aux indicateurs, au niveau qui monte ;

puisse le sonomètre battre cette fois tous les records d'enregistrement de décibels, puisse-t-il se mettre à siffler et fondre dans mes mains. Sam n'aime rien tant que regarder les chiffres s'emporter, atteindre bientôt le seuil de tolérance pour l'oreille humaine. Il envisage d'acquérir un sismographe de poche, soutient que les concerts de NTM produisent des ondes sismiques si nettes que mesurables, et comparables à de faibles tremblements de terre. Environ 4 sur l'échelle de Richter.

— Le sonomètre donne une mesure objective du bruit, des intensités sonores. En gros, sur mon appareil, les mesures oscillent entre 20 et 180. Entre 20 et 30 décibels c'est calme, le bruit d'un jardin, d'une conversation à voix basse ; entre 40 et 45 c'est assez calme ; entre 50 et 80 c'est bruyant, un restaurant, une télé, une usine ; entre 85 et 95 c'est pénible, une musique très forte, un mixeur, une cantine scolaire ; entre 100 et 110 c'est dangereux, une boîte de nuit, un atelier de chaudronnerie ; entre 120 et 180 on atteint le seuil de douleur, un banc d'essai de moteurs, une fusée qui décolle. Inutile de préciser qu'aux concerts de NTM on atteint allègrement les 200, ils appellent ça seuil de douleur, ça les regarde, moi je dirais plutôt seuil d'excitation.

Sam consigne tous ces événements, et les classe par niveau sonore — combien de décibels ? Centaines de pages de notes accumulées, archivées.

— Aujourd'hui 27 novembre 2001, travaux de la chaussée boulevard Bourdon, trottoir défoncé à la pelleteuse dans le but d'élargir le passage dédié aux piétons = 100 décibels, niveau sonore satisfaisant.

À partir de ces expériences et de leur relevé il a même rédigé — pour une revue scientifique — une synthèse documentée, précise, exhaustive selon lui, sur les ondes produites par la société de loisirs, et leurs bénéfices sur l'humeur des individus. Bénéfices trop souvent négligés au profit de l'exposé de dangers improbables. Principe de précaution, réflexe sécuritaire, tout ce qu'exècre Sam.

— Le bruit serait facteur de stress, oui, peut-être, et quand bien même, cessons de faire la guerre au stress, le stress est indispensable, vivifiant, enivrant, redoutablement efficace si on sait s'en servir. Comment peut-on préférer le silence qui ramollit les nerfs et diminue les réflexes ? Pourquoi se défier du bruit qui pourtant réveille et revigore ?

— Le bruit est un stimulant incomparable, et l'oreille humaine est faite de telle sorte — tellement bien faite, tellement intelligente — qu'elle y trouve son compte.

L'oreille repère toujours, et immédiatement, le meilleur du bruit, elle y repère un rythme, une assonance, une histoire, quelque chose de familier ou d'agréable ; si elle cherche bien ; et sans qu'on y prenne garde on tape du pied en cadence. Nous avons tous le rythme dans la peau, il suffit de prêter l'oreille. Le rythme est déjà là, il y a ceux qui l'entendent ; il y a les plus doués, les plus attentifs, qui font du rap, et il y a les mal embouchés qui se fourrent de la mousse au fond des oreilles.

Comme Joeystarr Sam est un obsédé du bruit, et de la foule, heureux pris dans une manifestation, dans la fosse d'un concert au Zénith, aux 24 Heures du Mans.

Il n'est bien que sur la terre ferme, il déteste l'eau et l'air — mondes du silence et de la solitude. La plongée, le parapente, très peu pour lui, on n'entend rien, et pour lui ne rien entendre c'est ne rien voir.

Ne rien entendre c'est être impuissant.

Concert de NTM, le 24 novembre 1998, au Zénith de Paris. Nous en sommes sortis la tête triplée de volume, des stigmates physiques impressionnants, sans doute très préoccupants aux yeux de la médecine : pour ma part, l'estomac s'était déplacé, était venu se loger sous l'aisselle droite, mon cœur excessivement dilaté formait une bosse dure sous la poitrine, les yeux au fond des orbites, les orbites complètement noires, et les vertèbres soudées. Ma mère aurait appelé le Samu. Nous étions beaucoup dans cet état alarmant, quittant la salle par grappes, foule de zombies galvanisés, cobayes consentants d'essais nucléaires.

Surgir en monstre, le corps bouffi d'excroissances, prêt à s'émietter, à exploser sous le souffle de la déflagration. Dans la foule un homme hagard d'une soixantaine d'année, cheveux ramenés en arrière, longs, sales et emmêlés, visage émacié, regard de fou furieux, cigarette bientôt consumée, déjà éteinte collée aux lèvres, sèches ; une caméra de télévision s'avance vers lui, le journaliste veut recueillir ses premières impressions, il s'appelle Antonin

Artaud, il a les mots justes : « Le corps sous la peau est une usine surchauffée. »

Je suis venue avec un sac à dos et de bonnes chaussures (montantes, qui maintiennent la cheville, et légères en même temps, aérées). Un look impossible et fonctionnel de randonneuse, adapté à la situation.

Environ 6 200 spectateurs sur les 6 200 mètres carrés du Zénith de Paris, la jauge est pleine à craquer, il fait très chaud pour un 24 novembre. J'ai l'habitude de venir seule aux concerts. Que personne ne détourne mon attention, ne soupire d'exaspération, ne trépigne, ne commente à voix haute, ne fatigue de rester debout, ne se plaigne, ne soit agoraphobe, claustrophobe, ne me gâche mon plaisir, que personne ne m'accompagne qui aime moins NTM que moi, qui ait des réserves, qui ne connaisse pas très bien, juste un album, qui soit là pour m'accompagner, pour voir à quoi ça ressemble, qui me regarde danser avec un air bête, qui trouve que le son est trop fort, les basses assourdissantes, qui refuse d'aller dans la fosse, s'approcher de la scène, des enceintes, qui refuse de crier, de reprendre en chœur « nique ta mère », qui refuse de faire un maximum de bruit, qui refuse de répondre à la question « Est-ce que vous êtes là ? est-ce qu'il y a du monde ce soir ? », qui refuse d'allumer son briquet sur « Pass pass le oinj », qui ait trop chaud, mal aux pieds, qui ne joue pas le jeu, qui pense ne plus avoir l'âge pour ce genre de choses, qui reste mutique au fond de la salle près du bar là où il y a un peu d'air, qui refuse catégoriquement de danser, de se mêler à l'excitation de la foule ; et qui pense que quand même ils se sont assagis sur leur dernier album, que les bpm ont ralenti dans le rap et que c'est un problème.

La salle est comble depuis une heure, la foule trépigne, accumule les gobelets de bière blonde, scande leurs noms par intermittence, avec ardeur, puis sans trop y croire, impatiente puis résignée.

Sur ma gauche, dans la fosse, et qui comme moi regarde droit devant lui, un jeune homme d'une trentaine d'années dans un survêtement noir étroit, veste zippée remontée jusqu'en haut, col fermé, et baskets noires, se tient très raide, les mains sur les hanches, cheveux courts, ni beau ni laid. Je le regarde en coin, attirée par son immobilité, sa concentration. Sam se tourne vers moi :

— Tu sens ?

— Je sens quoi ?

— Cette brume.

Une brume est tombée sur le Zénith, presque un brouillard, bientôt un brouillard épais, froid, gris, à couper au couteau. Pour le moment des nappes de brume givrante et cotonneuse qui doucement se posent sur le public, le recouvrent en couches successives, s'immiscent entre nous, entre la peau et les vêtements, nous cachent la scène, rendent tout indistinct et trouble.

Brume annonciatrice, brume de laquelle va bientôt surgir. Surgit une ombre. Une ombre dans la brume.

— Tu sens ?

— L'ombre ?

— Oui, cette ombre menaçante et familière.

Elle occupe tout l'espace, elle s'étend, enfle, grandit comme une éclipse solaire, le public frissonne. L'ombre de la menace, un changement climatique soudain. Le temps se gâte, vire au noir, les bêtes dans les champs font silence, plus un souffle d'air dans les arbres, tout est pétrifié.

— Je m'appelle Sam.

Nous passerons ce concert ensemble ; et puis qui sait.

Une à une comme un compte à rebours les lumières s'éteignent, le public retient son souffle et crie sa joie du même coup, c'est quelque chose de très bizarre, à la fois retenir son souffle et crier, ça donne un cri timide au début, étouffé, puis complètement ouvert, libérateur, puis qui s'arrête net, qui rentre aussi sec à l'intérieur, et qui revient comme une vague et qui scande N-T-M. Une clameur qui afflue et reflue, un appel populaire, nous voulons du pain ; plongés dans le noir nous exigeons du pain.

6 200 spectateurs sursautent comme un seul homme, 6 200 corps électrocutés, 6 200 corps qui se soulèvent, se détachent un instant du sol, 6 200 décharges aux extrémités. Champ de blé traversé par une rafale de vent annonçant la tempête, le public du Zénith. Pris par surprise, pétrifiés par l'obscurité, nous avons tous reconnu le cri de Joeystarr. Cri soudain venu du haut de la montagne, c'est Jaguar Gorgone, il bondit, il rugit. En réponse au cri la voix de Kool Shen s'élève alors, « 93 connection, time for action », le show est lancé. Le cri de Joeystarr qui n'en finit pas, grognements qui roulent en des « ouh ouh » caverneux. Pas le « ouh ouh » des Stones sur « Sympathy for the devil », le

réveil du grizzli plutôt, la boucherie qui s'annonce. Et l'obscurité, toujours. À nouveau Kool Shen ouvre le bal, s'enquiert de la motivation de son public : « Prêts pour un nouveau massacre ? » La salle suffoque. Les lumières s'allument d'un coup, plein pot, tout l'espace se met à clignoter furieusement, les tables de mixage des dj's clignotent comme des alarmes, la scène clignote, « 93 » et « NTM » en lettres de feu au fond de la scène clignotent, « 9 » sur la table de dj James, « 3 » sur la table de dj Naughty J, le son démarre, mélange saturé de jingles et loopings sonores, mon poing dans ta gueule sans plus attendre. Sam sort son sonomètre, me montre comment ça fonctionne, 105 décibels.

« Tout le monde, tout le monde », Joeystarr et Kool Shen ensemble, d'une même voix. Première chanson : « Seine-Saint-Denis style », planter le décor, afficher la couleur.

La scène est maintenant éclairée mais Joeystarr et Kool Shen sont toujours invisibles, ils chantent de plus loin, des loges où ils n'ont pas fini de s'habiller, de siffler la bouteille de rhum, de signer des autographes, de téléphoner à la famille, de chambrer les copains, de sauter sur les canapés en cuir, de se regarder dans la glace, de choisir le T-shirt qui déchire. Ils sont encore hors champ, et moi qui voudrais les serrer dans mes bras, non pas comme de vieux amis retrouvés mais comme le kamikaze embrasse le nez de son avion avant d'y monter et de se jeter sur la cible en hurlant de joie et de terreur.

On annonce leur entrée sur scène, deux bolides qui freinent au bord du précipice, ils n'ont que 300 mètres carrés — la taille de la scène —, 10 mètres de profondeur pour se déployer. Tout est toujours plus petit que la rue. Ils ont déjà l'air à l'étroit, deux gamins hyperactifs et surdoués, triples champions du monde toutes catégories toutes disciplines, à courir en long en large en travers, à arpenter, labourer la scène comme un champ de betteraves, inspecter chaque parcelle, chaque recoin, en mission de reconnaissance. Ils sont en tenues de combat, impeccables, immaculées : T-shirts blancs Com8 XXL, la marque de Joeystarr, la marque de la frime et du déhanché, grande liberté de mouvements, pour une démarche ample et balancée, des gestes tout en souplesse. Kool Shen porte un jean baggy foncé, Joeystarr un bas de survêtement blanc et au poignet un bracelet éponge ; baskets noires pour Joey, blanches pour Shen.

Joeystarr porte un masque de ski Arnette sur le front, le masque du soleil en face, des ascensions périlleuses, des bivouacs en haute montagne, des descentes vertigineuses, on ne sait jamais ce qui peut vous arriver dans les yeux. Joey se tient sur le toit du monde ; et là où il met les pieds la tempête le précède et le suivra.

La musique s'interrompt, la lumière baisse, à la demande de Joeystarr le service de sécurité passe dans les rangs et distribue un masque de ski à chaque spectateur ; 6 200 masques distribués en un temps record. Pour se protéger de la grêle tombant en rafales de la bouche des NTM. C'est beau à voir, 6 200 têtes masquées, regardant dans la même direction, prêtes à admirer un incendie de forêt.

Rappeurs étincelants sous une douche de lumière. Kool Shen brille — boule à zéro, diamant à l'oreille, gourmette en or, montre en or, bague en or ; Joey brille, de toutes ses dents, mâchoire plaquée or. « Y a du monde ou quoi ? » La salle répond mais jamais assez fort à leur goût, Joey engueule le public — « j'entends rien ». Une salle de 6 200 personnes crie toujours moins fort que Joeystarr seul sur scène. Le public s'époumone, public impuissant qui ne fera pas le poids. Et pourtant, hystérie collective, hystérie à 6 200, se rouler par terre, se griffer le visage, hurler à la lune, mais jamais assez.

« J'entends rien, faites du bruit, du bruit, je veux voir personne assis, les bras en l'air, tout le monde, les mains en l'air, du bruit », et le « r » de « bruit » dans la bouche de Joeystarr est un barrage hydraulique qui vient de céder. On a beau s'étriller les cordes vocales, se fissurer les amygdales, Joey n'entend rien ; les tempes qui bourdonnent, les yeux injectés, les poings serrés jusqu'au sang, le public crie, le public fait du bruit, le public fabrique le bruit qui est le combustible de la machine NTM ; la totalité des corps conducteurs mis en contact doit produire la puissance nécessaire à l'entière combustion de ce concert. NTM ne chantera, ne peut chanter que s'il y a du bruit, suffisamment de bruit. Derrière moi une jeune fille de quinze ans se fait sortir par deux autres de plutôt treize parce qu'elle a gardé le silence. Elle se débat, les deux autres la traînent vers la sortie.

— On t'a dit de faire du bruit, si tu ne fais pas de bruit le concert s'arrête, tu comprends ça ?

Elle pleure, elle griffe, elle crie, elle fait du bruit, on la relâche.

« Plus vous boostez, plus on booste aussi, avec la salle c'est cinquante-cinquante. » Le rap est une coproduction interactive entre rappeurs et auditeurs ; « on transpire, vous faites le reste », et le reste c'est résonner, pousser, porter, amplifier l'événement.

Mais qu'est-ce qu'on attend pour ne plus suivre les règles du jeu ? Le morceau suivant commence, Joey furibard, le dj allume les samples torches, les braque sur le fond de nos rétines, le vinyle déraille, *mais qu'est-ce, mais qu'est-ce, mais qu'est-ce*, tous ensemble, c'est urgent, la masse enfle sous la poussée de sa propre rumeur, se soulève d'un bloc, 6 200 personnes qui sautent, tombent, sautent.

Public chancelant et nauséeux, mâchoire bloquée à force de vociférer, public qui pleure, demande du répit — reprendre son souffle, retrouver ses esprits, mais non : « ne perdez pas le mouvement ». Kool Shen et Joeystarr poussent à bout, au crime, au soulèvement populaire.

Ils sont déjà en nage, serviettes-éponges à la main, « mouillent le maillot » ; maillot mouillé seul critère d'évaluation du rap, marqueur de la compétition, objectif à atteindre, preuve irréfutable de son engagement, de son assiduité. On essore le maillot, on compte les gouttes qui en tombent, on mesure sa légitimité. Si maillot sec, rayé des listes, c'est sans appel.

Dignité des hommes toujours évaluée au maillot mouillé, dans le rap et ailleurs : payer de sa personne, monter au front. Un homme qui ne transpire pas est suspect ; front sec, chemise impeccable, regard torve, pas franc du collier celui-là. Le héros est en nage.

Kool Shen, serviette autour du cou, litre de jus d'orange à la main (en coulisse il a mis du gin dans l'orange) : *monte sur mon Seine-Saint-Denis fonk.*

Toute la salle qui monte sur son « Seine-Saint-Denis fonk », pied à l'étrier, tous en selle, à cravacher comme des dératés, cavalerie en formation prête à donner l'assaut, *check the flow*, nous ruons tous d'un coup dans les brancards, mouvement de foule vers l'avant de la salle, vers le cordon de sécurité déployé au pied de la scène et qui s'écroule sous la pression. Certains se hissent sur le plateau, sur le « Seine-Saint-Denis fonk » de Kool Shen, le regard de

Joeystarr les arrête net, ils baissent les yeux, font demi-tour.

Les concerts de NTM sont des émeutes amorcées, bridées, étouffées, qui montent par vagues successives et retombent aussi vite ; l'électricité dans l'air de l'émeute, sans les dégâts matériels. Ambiance fin de siècle sur le fil du rasoir. La rumeur qui gronde et se rapproche, peuple armé de fourches qui monte vers Paris, paysans, ouvriers en masses noires et décidées, l'air de plus en plus coupant, acmé du drame qui se joue dans l'ombre, et puis plus rien, le reflux, l'accalmie, en suspens. Jusqu'à la prochaine vague. Ligne dramatique subtile, tenue fermement par Kool Shen et Joeystarr à chacun de leurs concerts.

Lord Kossity, guest, se présente sur scène pour « Ma Benz », tube dancehall du dernier album. Armoire à glace avec yeux de biche, voix suave, érotique et caverneuse, physique de tueur qui chaloupe. Dans la salle un type de quarante ans en survêtement — Francky Vincent des vestiaires — se colle à moi, esquisse un zouk. Mon sac à dos me protège, finit par le dissuader.

« On va mettre le turbo », Lord Kossity ne nous laissera pas souffler, projette de nous emmener en virée dans le noyau de l'atome, le public grince et suit. Sam n'aime pas ce morceau, trop lascif, trop moelleux, sonomètre éteint.

Sonomètre rallumé sur *désarroi déjà roi*, repris par la foule en courant alternatif. *Les cailleras sont dans la ville*, 150 décibels.

Dorénavant la rue ne pardonne plus, Sam me souffle à l'oreille que l'énergie est la quantité de travail qu'un sujet physique est susceptible d'effectuer, que la puissance est le transfert d'énergie par unité de temps ; j'acquiesce, il renchérit : le compteur des kilowattheures du public va bientôt exploser, nous sommes dans le rouge.

Ce type est un obsédé des mesures ; je suis sous le charme. Il me raconte ses machines, toutes ces machines qu'il accumule, il me raconte comment il écoute NTM, comment il prend sa tension en écoutant NTM, l'effet que ça lui fait. Et puis que sinon il travaille dans une banque.

— Pourquoi tu travailles dans une banque ? T'as raté ta vocation. Pourquoi t'es pas géologue, physicien, sismologue, volcanologue, chimiste, ou même simplement électricien ?

Il me dit qu'à la banque il se console avec les chiffres, des colonnes de chiffres ; il se raconte des histoires, s'imagine que ces chiffres ne sont pas des transactions ou les relevés bancaires déprimants et médiocres de gens qui triment, mais des mesures très confidentielles rendant compte de phénomènes physiques extraordinaires : poussées sismiques, typhons, cyclones, éruptions volcaniques, grandes marées, déplacement des continents, fissures dans la croûte terrestre.

— Tel compte est le relevé des décibels enregistrés à chaque concert de NTM, tel autre mesure la vitesse des bourrasques pendant le passage de l'ouragan Katrina en Louisiane.

Public grisé, exulte, bouffi de chaleur, de bonheur, on se colle le nez à la scène, un mètre soixante au-dessus le plateau, 6 000 personnes qui poussent derrière, 6 000 personnes contre mon sac à dos, la sueur qui me coule dans les yeux, une fumée épaisse qui coule dans mes yeux, je saute comme une possédée, pour ne pas finir étouffée, piétinée, tête encastrée dans une enceinte.

Mais il est temps que cela cesse, fasse place à

l'allégresse. Je sens mon corps se soulever, je perçois certains détails, des organes jusque-là méconnus et indifférents. Je sens nettement le cartilage de mes cordes vocales qui craque et tient encore comme par miracle, je sens mon larynx brûlant, je sens des petits lambeaux se détacher de mes trompes d'Eustache, je sens mes tympans vibrer comme au décollage d'un avion. Le médecin m'avait expliqué le matin même : l'oreille externe est récepteur, l'oreille moyenne est amplificateur, et l'oreille interne est transmetteur. Comme j'entendais bien m'enrouler dans les enceintes, j'avais préféré consulter avant. J'étais ainsi prévenue des risques d'altération de mes capacités auditives — altération irréversible, avait précisé le médecin.

Concentrée sur mon oreille moyenne, celle qui amplifie, espérant qu'elle amplifie correctement, sans laisser de côté aucune note, espérant qu'ensuite mon oreille interne distribue le son dans toutes les régions de mon corps, de haut en bas et en travers, irriguant le moindre vaisseau, labourant la moindre parcelle musculaire. Je sens les basses de dj James comme des protéines contractiles dans mes muscles. NTM, machine transformiste.

Je me tourne à nouveau vers Sam.

— Comment ça va toi ?

— Ce concert me nettoie le sang.

Le son à coups de marteau.

Son provocateur et contagieux, public contaminé, son qui déroule, dévale, nous tombe dessus, nous recouvre comme une coulée de goudron — bientôt les plumes. Joey n'a pas fini de nous engueuler, de nous prendre de haut. Il nous emmerde. Il est très content de lui. Nous ne cherchons pas à lui gâcher son plaisir, nous aimons la surenchère et les prétentieux, on ne lui ôtera pas son prestige.

Je suis américaine, j'aime le rap, la frime, j'aime la démesure, l'outrance, l'exagération, le vacarme. Je ne me lasse pas du spectacle de Joeystarr dans la mise en scène de sa renommée, dans la proclamation rituelle et incessante de sa valeur — valeur démesurée, inégalée. Joeystarr et Kool Shen, athlètes du phrasé, les meilleurs dans leur discipline ; autant s'en vanter. Nous sommes bon public, nous sommes fans, nous scandons N-T-M, nous faisons corps. On me dit que je ferais bien de me méfier des mouvements de foule, mais je ne suis pas embrigadée, bien au contraire, je travaille pour mon propre compte, je m'occupe de ma gueule, de ma santé, j'augmente ma puissance.

Avec un putain de swing ding, oui je m'amuse cherche et trouve la ruse, pour que les mots ainsi enchaînés ne cessent de fuser. Nous ne nous lassons pas de leur flow intarissable, de leur flow bouffi d'orgueil et de frime. Voix est expansion du corps, frime est expansion de soi. Frime est expansion ludique de soi, stylisation de soi, confiance en soi ; bon programme pour la jeunesse.

Joeystarr et Kool Shen, coupeurs de têtes, rap en action, en train de se faire sous vos yeux, dans vos oreilles, faire swinguer la langue, la trépaner, la scalper. Flow en direct, au programme ce soir : aptitude à l'accélération vocale, qualité du phrasé, scansion, accentuation, inflexion, intonation, voix qui déraille, flow qui s'emballe, débit en cascade, machine de guerre. Joey chante « Laisse pas traîner ton fils », morceau affreusement sentimental, faiblesse impardonnable selon Sam, il faut voir ce qu'il en fait, comment dézinguer son propre texte, qui n'a plus aucune importance, plus aucun poids face à l'impératif de la performance vocale. Entendre Joeystarr raffiner son texte, le liquider, racler les dernières syllabes, rouler sur les fins de phrase, inaudibles, recouvertes par les grincements, les puissants roulements de tambour.

Jamais une faute de flow, pulsation perdue, rythme, temps ou intensité lâchés ; jamais un flottement, une négligence, jamais garde baissée, arme enrayée.

Sam regrette d'avoir laissé son électrocardiographe à la maison. Il lui semble que les voix de Joeystarr et Kool Shen sont exactement calées sur la somme des différences entre les différentes pulsations cardiaques du public réuni ce soir-là. Comme si chaque battement de cœur, chaque tension artérielle, chaque histoire personnelle, chaque température du corps, chaque métabolisme avaient été pris en compte. Joeystarr et Kool Shen prennent en charge toutes les cadences possibles, tâtent le pouls de chaque chose ; ils posent la question « comment vous sentez-vous ? ».

D'abord le tag et la danse. Le rap est venu après, est venu par hasard, par défi. Ce n'était pas prévu. C'est juste qu'on les a provoqués et qu'ils ont répondu à la provocation. Joey le raconte ; une nuit dans le métro, ligne 13, pour rentrer chez eux à Saint-Denis. Ils prennent la dernière rame qui les ramène vers le nord. Comme toujours ils ne restent pas les mains vides, les bras ballants, les yeux dans le vague, ils taguent acharnés, maximum de surface en un minimum de temps. Quelques passagers qui regardent leurs pieds, cols relevés, se faire oublier. Sur la ligne 13 Kool Shen et Joeystarr sont comme chez eux, ils connaissent et saluent pas mal de monde, ceux qui montent et ceux qui descendent, ils croisent des voisins, des amis, de

108

la famille, des ennemis, des gens du Nord. Surtout à Place de Clichy, la Fourche, Porte de Saint-Ouen, Mairie de Saint-Ouen — la station de Jhonygo. Jhonygo est de Saint-Ouen, il a un nom pas possible, il est rappeur, un précurseur en France, il a sorti le premier maxi de rap français : « On l'balance ». Joey dit que c'est consternant, nul. Ils se connaissent de vue, de réputation, ils ne s'aiment pas vraiment, ils ne sont pas du même coin, pas du même bord. Jhonygo est un donneur de leçons qui fait la morale aux petits frères. Il monte dans la rame à Saint-Ouen. Ah tiens c'est vous. Joey et Kool Shen l'ignorent, continuent à cartonner le wagon au marqueur. Mais Jhonygo, qui ne ferme jamais sa gueule, va l'ouvrir, et va le regretter.

Il les prend de haut, affiche son mépris pour le tag, se vante d'appartenir à l'élite underground, de pratiquer l'art noble du hip hop : le rap.

« Pendant que d'autres gribouillent comme des gamins inconséquents. »

Joey et Kool Shen commencent par ne pas relever.

Mais l'autre continue à déblatérer, à jouer au poète, au prophète, parle mal à Kool Shen ; il n'en faut pas plus à Joey pour prendre la mouche. C'en est fini de Jhonygo.

« Si moi je prends un micro un jour, toi prends une chaise. » La sentence était lâchée, la prédiction allait se réaliser, le ciel s'est ouvert en deux au-dessus de la rame de métro. Les passagers regardant encore plus fort leurs pieds. Jhonygo n'a pas moufté, mauvais pressentiment.

Aujourd'hui encore il doit s'en mordre les doigts. Il a pris une chaise, il ne s'en est plus jamais levé. Le cul collé à la chaise pour le restant de ses jours. Il a cessé de rapper, on l'a oublié, on le voit parfois errer, encombré par cette chaise qu'il trimballe partout comme une carapace, une malédiction, le fardeau de son arrogance punie. Il ne savait pas ce qu'il disait, il a allumé le feu, réveillé le monstre, couru à sa perte du même coup. Joey : « Jhonygo avait créé l'accident dans nos têtes. »

Gonflés à bloc, ils se sont installés à la table de la cuisine chez la mère de Kool Shen, et y ont passé la nuit. La nuit à écrire leurs premiers textes de rap en buvant du coca, à écrire n'importe quoi n'importe comment mais avec une telle rage que personne ne s'en remettrait, que personne n'y résisterait. Une nuit à écrire des chansons comme ils taguent les wagons, avec la même précipitation, la même ivresse, la même peur de se faire attraper ; et détaler comme des lapins.

Le soir même Kool Shen et Joeystarr devenaient rappeurs, pour lui montrer à ce connard. Juste pour lui montrer qui est le meilleur.

Et ce soir, Sam et moi, épaule contre épaule, nous tâchons de nous tenir droits sous les bourrasques, sous le flow de Kool Shen.

Le flow asthmatique de Kool Shen. Le flow souffle coupé.

Le petit Kool Shen, le ramassé, le tendu, le concentré, l'attentif, l'ancien footballeur (espoir), le bien campé, le bien centré, l'endurant, qui prend son souffle, se lance et rappe en apnée. Torpille sous-marine qui traverse la phrase d'un trait parfaitement régulier ; une flèche. Veines bleutées, raidies sur les tempes. Kool Shen déjà essoufflé mais increvable, essoufflé, semble-t-il, essoufflé mais non, souffle intarissable ; Kool Shen au flow saccadé, au débit précipité, qui regarde au loin la fin de la phrase, et y court, y fonce, haletant, tête baissée.

En pleine course on se dit qu'il va manquer d'air, qu'il ne finira pas, mais non, poumons contractés, respiration bloquée, aucune pause dans le flow, Kool Shen ne reprend pas son souffle, droit au but, il garde la ligne, invariablement au même rythme, même intonation rectiligne, même scansion au métronome, même débit dans un souffle, un seul souffle pour tout un morceau, souffle qui rebondit sans cesse, renaît, revit, fins de phrases siphonnées, dernières syllabes escamotées, aspirées, qui nous aspirent avec, qui nous précipitent dans le flow, nous tombons avec lui, nous suffoquons avec lui. Sa scansion, raide, qui évince les accents, alors soudain nous dévissons, nous croulons sous l'accumulation de mots tête tranchée ; nous restons sans voix.

La phrase d'un trait, cul sec. Premières notes, il respire à fond, l'air en tornade dans ses poumons, saut dans le vide. Flow déraisonnable, qui inquiéta son père la première fois qu'il le vit sur scène.

— Tu vas t'étouffer Bruno, tu vas suffoquer, t'étrangler, respire, nom de Dieu, respire.

Mais Kool Shen ne reprend pas son souffle, pas avant d'avoir fini de parler. Se rêve alpiniste ou plongeur, là où l'air se raréfie, se rêve à bout de forces, se rêve repoussant encore les limites de ses capacités respiratoires, qui sont immenses. Goût immodéré pour le défi et la performance.

Nous n'avons rien à perdre car nous n'avons jamais eu — hou. La salle retient son souffle, mimétisme.

Kool Shen et Joeystarr se partagent le travail, les morceaux. Souvent Kool Shen commence, pose son flow horizontal, ligne de fuite ; Joeystarr surgit, ne sait, ne peut que surgir, ne sait pas, ne peut pas apparaître autrement, entrer autrement dans une pièce, sur scène. On a beau savoir, il surgit toujours avec la même violence, et nous sursautons toujours, ahuris ; son flow vertical qui plonge, creuse dans la phrase, déblaye à la pelleteuse. Joeystarr littéralement déboule sur le flow de Kool Shen, pour tout casser. Joeystarr lâche les chiens, Kool Shen les avait retenus le plus longtemps possible.

Joey n'attend pas son tour, n'attend pas que Kool Shen termine, rongé par l'impatience, la peur de s'ennuyer (il n'a peur que de ça), peur du silence, du temps mort, alors il anticipe et finit les phrases de Kool Shen, ou plutôt leur saute à la gorge, les fait chavirer. Grognements sur les dernières syllabes, redoublements rauques, Joeystarr caillasse la phrase, passée à la bétonneuse.

Jeu collectif à deux : technique et génie, minutage et improvisation, performance physique et beauté du geste, frime et efficacité, jeu de balle, jeu de passes, duels. Kool Shen et Joeystarr sur scène comme sur le terrain.

Kool Shen a été footballeur, en a gardé quelque chose, quelque chose dans le geste, d'intuitif, d'immédiat. Et une bonne condition physique.

Kool Shen était un excellent tacleur sur le terrain, il en a gardé l'impatience, la technique, l'urgence. Il l'a enseigné à Joeystarr, qui est devenu un excellent tacleur sur scène. Geste de foot, geste de rap, risqué et violent, technique du pied et de la voix, scansion commune — de la phrase et du ballon.

Il tacle, se jette dans les pieds de l'adversaire, lui confisque le ballon, en le faisant dévier. Il arrive que le ballon soit taclé puis récupéré, c'est rare. Le tacle de récupération — glisser, intercepter, bloquer, se relever, reprendre le ballon, repartir — est réservé aux plus habiles. Kool Shen et Joeystarr sont les plus habiles ; à ce jeu dangereux Joey est le plus habile, le plus intrépide. Il joue le mot comme on doit jouer le ballon ; Joey tacle Kool Shen en pleine course, en plein flow, se jette dans la bouche de Kool Shen, intercepte, bloque et prend le mot — confisqué —, à présent roulant dans sa gorge en feu. *Sache que ce à quoi j'aspire — sache que ce à quoi j'aspire c'est que les miens respirent.*

Timing parfait, bons appuis sur la phrase, bonne évaluation des distances, le regard fixé sur la conduite de flow de l'adversaire, Joey intercepte Kool Shen au bon moment dans sa course. Rupture dans le jeu, engagement physique total. Le tacle, saccadé comme le beat, concentre dans la radicalité de son geste tout ce que Joey et Kool Shen revendiquent : maîtrise, prise de risque, agressivité, frime.

NTM, tacleurs et frimeurs, gestes qui exigent technique et habileté, travail et savoir-faire. La frime est une affaire sérieuse, affaire de professionnels, ne s'improvise pas, ne se pratique pas en dilettante.

Debout sur les enceintes Joey aboie, rugit, gueule écartelée, on y voit ses cordes vocales, tannées, aiguisées, rougies ; il les montre à la foule, il les brandit, il se les arracherait bien pour les jeter dans le public, les cordes vocales de Joeystarr, de l'or, on se battrait pour les récupérer, les serrer contre son cœur, les garder sous verre, les transmettre à nos enfants comme le talisman d'une humanité invincible. Debout sur les enceintes Joeystarr en surrégime, les courbes de production s'envolent, la machine déraille ; son cri porte loin dans nos corps. Joey n'entend pas nous ménager ce soir. Le cri du tigre, une machine à broyer, mâchoire qui attrape, étreint le cou, ne lâchera plus, enserre, enfonce dents, griffes. Sons crachés par une gorge en papier de verre. Pas d'intermédiaire chez Joeystarr, pas de filtre, pas de hiérarchie entre les organes, sans détour par la conscience, ça sort brut, éruption, gaz, feu. Matière première, mal dégrossie, mais pierre précieuse ; le réveil fulgurant de la matière. Mots dans le ventre, le thorax, pas dans la tête. Mots éjectés un coup de pied au cul, pas raccompagnés à la sortie. Mots déchaînés sortis tout droit du corps exagéré de Joeystarr. Prenez le corps de Joeystarr, mettez-y des mots, voyez comme ils tournent ; Joey est un flipper : réactivité des flips, bille qui rebondit sur les cordes vocales, secousses dans la cage thoracique, élasticité des cibles, chocs sur les bumpers, rampes dévalées, lampes qui s'allument, clignotent furieusement, bille renvoyée aussi sec dans l'abdomen, puis balancée dans les genoux qui se lèvent sous l'effet de l'électrochoc. Bingo, mot qui ressort par la bouche en or, vous êtes champion.

Je suis tout près, je le vois increvable, je suis fascinée. Qui va oser toucher, même avec une autorisation ? Qui peut vouloir s'y risquer ? Autant rentrer dans un transformateur pieds nus les cheveux mouillés.

— Qu'est-ce que c'est beau.

Il rappe, sa gueule de loup s'ouvre en grand, sa mâchoire en or est une promesse de puissance et de gloire.

Les dents en or de Joeystarr.

Comme chez la femme tibétaine, signe de beauté et d'opulence. Métal conducteur, métal d'apparat ; sacrée gueule qui brille, bouche de riche sur tête des bas-fonds. Sur ces dents en or, les trois lettres, N,T,M incrustées, en strass. Les trois mêmes lettres tatouées sur la nuque, genre coup du lapin.

Les tatouages de Joeystarr.

Scorpion tatoué sur l'estomac, scorpion venimeux démesuré imprimé sur les abdominaux, déplié sur toute la surface de la peau, précisément dessiné, hyperréaliste, effrayant, vivant, accroché à Joey, à sa face visible, pinces aiguisées plantées dans les côtes, le scorpion ne lâche pas prise, il embrasse le corps de Joey, le ceinture. Ce scorpion tatoué est un avertissement.

Joeystarr prêt à bondir, torse nu, torse sec, raide, musculeux, veineux, tendu comme une peau de tambour. Pectoraux, abdominaux, ventre en double vitrage, en gilet pare-balles. Infranchissable. Joey, force de la nature, de la défonce et du son. Comment la nature, la défonce et le son, ces éléments réunis, forment un corps, forgent un corps, le fabriquent — intérieur et extérieur. Ce qu'on appelle l'histoire personnelle, le parcours. D'où tu sors.

Très précisément, tant d'alcool, tant de drogues — dures et moins dures —, tant de basses, tant d'heures sur scène, tant de filles, tant de coups, tant de nuits dans le métro, tant de caniveaux, tant de nuits sans sommeil, de nuits dehors, tant

119

d'heures sur les routes en tournée dans un car, tant de garde à vue et de prison, tant d'adrénaline, tant d'or, tant de sexe, tant de bastons, tant d'embrouilles, tant de fans, tant de jours. Matières en couches empilées, accumulées, sédimentées.

Si Sam avait à évaluer le corps de Joeystarr, il établirait précisément le pourcentage de chaque part qui a façonné son corps.

— Joeystarr est issu du mélange de toutes les matières répertoriées à ce jour, de tous les composites possibles ; un monde mythologique, un rêve de géologue.

Lire sur son corps comme sur un tableau de bord. Pourcentages, degrés, voltage, vitesse, aiguilles dans le rouge, tous les voyants allumés, une odeur de pneu cramé. Relevé des compteurs ce soir à 22 h 45 : 13 % de whisky, 56 % d'infrabasses, 95°, 220 V, 326 km/h.

Même lascif, Joey affiche toujours la même vitesse, 326 km/h ; cela ne s'explique pas. Flashé quand il marche dans la rue.

Visage déformé par la vitesse, une tête pas possible. Des poches grises sous les yeux, pleines d'acide, des cernes noirs, noircis par l'effort, charbonneux et creusés, les cernes de celui qui a trop crié, trop longtemps, trop fort, trop loin. À ce prix l'aisance du cri chez Joeystarr, cri inépuisable, source intarissable, ampleur métallique de la voix, rire de hyène qui résonne longtemps. Attila du hip hop.

Joey n'est que verbes : brailler, vociférer, grogner, crier, courir, sauter, cogner.

Joey n'est qu'animaux : buse, puma, faucon, jaguar, ours, hyène, cochon qu'on égorge. Il connaît tous leurs cris. Joey est une ménagerie.

Corps monstrueux qui peut tout endurer, corps amoché qui a tout connu, corps stylisé par la musculation, les tatouages, la sueur, les coiffures afro, les bijoux en or, les marques de streetwear.

Joey lascif mais à grande vitesse, mélange de speed et de flegme. Drôle de mélange, énervé et fluide, hargneux et souple, ultrarapide et amorti, agressif et malléable. Comme un danseur : grande souplesse — du corps, des situations —, grande nervosité — du corps, des situations. Concentré, tendu, aux aguets. Joeystarr est un danseur — à l'origine, avant tout le reste : danseur plastique et physique.

Le voir onduler sur scène, à l'instinct, provocateur et méchant, toujours à l'étroit, même dans la rue il a l'air en cage. Avide, impatient de ce qui va arriver après, juste après, dans la seconde, et déjà la peur de s'ennuyer, immédiatement la peur de la routine, alors provoquer autre chose, un nouvel incident. Joey ne cesse jamais, ne reste pas tranquille, ne connaît ni le silence ni le repos. Peur bleue des trous d'air et des chiens de faïence. Toujours quelqu'un à chambrer, bousculer, chauffer (*qu'est-ce qui y a ?*), toujours des jambes à dégourdir, Joey très occupé, à chercher et provoquer l'incident. Rien ne le stimule plus que l'imprévu, rien ne peut lui faire plus plaisir que les emmerdes. Souvenir de concert foireux en 1992 : coupures de courant, texte oublié, dj à contretemps. Joeystarr exulte, relance, repart de plus belle, en redemande, porté par l'improvisation : impro de breakdance, impro de human beatbox, freestyle tout à sa gloire, stage diving. Pas le genre de type à s'interrompre, à se démonter, à remballer. Plutôt le genre qui se mêle de tout, qui prend part à la baston au coin de la rue, pour en être, peu importe le motif, pour ne pas rester planté là à ne rien faire, pendant que d'autres font.

Kool Shen chante — c'est sa partie —, Joey surgit, voix greffée sur ses lyrics, prend le train en marche, en rappel, bien accroché aux syllabes, *construire des riffs qui soient compétitifs.* Voix en surrégime, bouche en AK-47, avec chargeur de 30 cartouches, vise la tête, « ce soir on va tout cramer ».

« On n'est pas là pour ramasser les miettes. »

Il fait une chaleur de bête, je suis au cœur d'une foule brûlante. Je croise le regard de Joeystarr. Je n'affabule pas, nos regards se sont croisés sur « Authentik », plus précisément sur *tu contestes et pourtant la preuve est faite.* Joey a appuyé sur la dernière syllabe — « faite » — et m'a regardée au même moment en levant un genou, le visage crispé par l'effort ; j'ai vu une goutte de sueur se détacher distinctement, lentement, du haut du front et rouler dans son œil, j'ai vu la goutte, j'ai suivi son trajet, il m'a regardée et au même moment la goutte est tombée dans son œil, droit. Je lui ai souri, aussi fort que je pouvais, un sourire jusqu'aux oreilles. Je crois que ça lui a fait plaisir. De me voir comme ça, le visage défait par l'énergie consentie, en bon petit soldat du hip hop. Il m'a regardée pour me mettre la pression, c'est sûr, pour que j'augmente la cadence, pour que je crie plus fort encore. *Mais qu'est-ce, mais qu'est-ce, mais qu'est-ce, mais qu'est-ce qu'on attend pour ne plus suivre les règles du jeu.*

Juste après il a roulé du cul, Joeystarr roule du cul, du bassin plus précisément, il donne des coups de bassin, il ondule quand il danse. Flow du corps ; Joey pose son corps sur le son.

Joeystarr et Kool Shen savent bouger, courir, danser, avant toutes choses ; ils ont commencé par là, discipline et chorégraphie imprimée à leurs corps au grand air.

NTM a inventé une danse des nerfs, danse des réflexes. Danse art du déplacement, danse technique d'arpentage, danse aux électrochocs, danse désynchronisée, désordonnée et maximale. Leurs deux corps comme des fils qui se touchent et le public qui disjoncte. Danse impensable, inimaginable, immédiate. Improvisée, instinctive mais raccord, qui fonce, qui plonge, qui va au contact, qui se cale très exactement sur le beat, radicale et minutieuse, débauchée et furieuse, fun et bête.

Le rap n'est pas de la chanson, et ce soir nous

ne dansons pas, ils ne dansent pas non plus. La danse commente la musique, l'illustre, l'accompagne, celle de Joey et Kool Shen ne fait pas de différence entre le son et le geste, entre le beat et le mouvement. Ils ne dansent pas sur la musique mais dans la musique, leurs corps plongeant à la verticale, forant profond, ramenant tout à la surface, en geyser.

Rap, musique spectaculaire du corps spectaculaire. Joey qui dérape, qui échappe à tous les commentaires, à tous les classements, à tous les discours. Corps insensé de Joeystarr qui invalide instantanément tout ce qu'on pourra en dire ; qui déborde toujours, qui sort de ses gonds, qui se déverse hors de toutes nos catégories. Nous ne pouvons qu'en prendre acte, nous ne faisons rien d'autre que prendre acte de ce qui arrive.

Ce soir Joey danse sur la scène du Zénith de Paris, et si ce n'était pas au Zénith, si ce n'était pas officiel, officiellement un concert, formellement un spectacle, on l'aurait ceinturé depuis longtemps, on l'aurait jeté à terre, maintenu au sol, menotté, abruti de sédatifs en intraveineuse, emmené affaires cessantes sirènes hurlantes, motards devant et derrière, dans les sous-sols capitonnés d'une institution pour aliénés. Il aurait fini ses jours dans un quartier de haute sécurité, on lui aurait confisqué les lacets de ses baskets. Des types du RAID auraient débarqué fissa d'hélicoptères furtifs en position d'intervention et l'auraient interpellé, la peur au ventre. Si on n'était pas au Zénith ce soir. Un fou furieux, une bête sauvage, un incendie de forêt.

— Qu'est-ce que c'est que ce truc ?

— C'est pas normal, pas normal de bouger comme ça à la vitesse de la lumière.

Mais ce soir nous sommes au Zénith de Paris, et les choses sont à peu près cadrées. Joeystarr et Kool Shen ont le droit de danser, sont sommés de danser, appelés, encouragés par un public qui donne de la voix, hissés sur scène par une jeunesse qui a décidé que ce seraient eux, eux et personne d'autre, ce sont ces deux-là que nous avons choisis, pas pour nous représenter, non, on n'est pas cons à ce point, mais pour les regarder, les regarder faire ; et les regarder, rien que les regarder nous donne plus de forces que tous les remèdes, que toutes les médecines. Allez-y les gars, éclatez-vous, on est juste derrière, faites-le pour nous. S'éclater, éclater de l'intérieur, tout faire péter, éclater les oreilles, éclater le son, la mélodie, les textes, la danse, enfoncer des portes. Avec bruit et fracas, éclater, exploser, retentir, se déclarer, se manifester, rayonner. La joie éclatait sur leurs visages. La chaudière a éclaté. Des rires, des cris éclataient. La foule éclata en applaudissements. Deux éclateurs sur scène et le public qui pousse derrière, une mêlée de supporters.

« S'éclater : éprouver un violent plaisir. »

NTM : éprouver un violent plaisir sur scène.

Revitalisation par la scène, raison de vivre, énergie à revendre. Le studio, les albums, la promo, les interviews, dans un seul but : la scène, y être, y avoir droit.

Et nous sommes tout contre eux.

Corps à corps permanent, combat de coqs, rodéo urbain. Toujours l'un contre l'autre, sur l'autre, toujours en réaction, toujours par frottement, choc, aspiration. Contact qu'on dirait vital, amoureux, essentiel, comme greffés l'un à l'autre depuis la nuit des temps, et soudain séparés, arrachés, et renvoyés tête contre tête, se percutent — autotamponneuses.

Joeystarr qui danse, comme un psychotique tire sur ses vêtements, sur ses vêtements comme sur ses nerfs, qui lève une épaule, un genou, les coudes, se cambre, revient, suspend son geste, reprend, mouline, pédale, esquive, zigzague, décompose tous ses mouvements, tous ses membres, chaque morceau de son corps bandé.

Mannequin écorché, étudiants en médecine penchés sur ses viscères, tests d'électrocution, Joey passé à la question, corps torturé, saccadé. Joey monté sur ressort, désarticulé, coups de tête inopinés, Joey sans crier gare, qui plonge sur Kool Shen, atterrit sur Kool Shen, rebondit, se redresse, jeu de jambes, petit pont, accélération, grand pont. Pivotement des hanches, à droite, à gauche, bien huilé, 45 degrés, les pieds vissés au sol, juste les hanches mobiles, oscillation perpétuelle, mobile du mouvement du monde. Pas d'effets spéciaux, que de la pyrotechnie — science et manipulation des matières explosives.

Joey cascadeur court vers la foule, jette bras et jambes par-dessus bord, toute une vie à se jeter par-dessus bord. Joeystarr cogneur, casta-gneur, fond sur Kool Shen, une vie à fondre sur tout ce qui bouge.

Le corps de Joey sur scène qui bascule, pivote,

hoquette, son corps perclus de pistons, monté sur roulement à billes, monté sur les roulements du son, suspension du scratch, suspension du mouvement, puis reprise épileptique ; ruptures et suspensions enchaînées, il se démène comme un fou, il se débat, secoué de râles, riant aux larmes. Ce n'est pas le spectacle d'un homme en transe, c'est le souci de la performance, le don de soi.

Que le public en ait pour son argent.

Joey est un homme généreux, il va vers Kool Shen, l'alpague, l'attrape. Son bras le cherche, le touche à l'estomac, il lui met des coups, pour s'assurer de sa présence, de sa santé. Es-tu là ? Es-tu vraiment là ? Les coups peuvent partir, et pleuvoir. Joey a peur du mirage, du fantôme, de l'ombre, il cogne, vérifie la résistance des corps, l'élasticité des chairs, le répondant. Besoin de contact, seul le contact est fiable. Lancé à toute vitesse contre Kool Shen, pour vérifier, le choc a bien lieu ; ils décollent dans un nuage de fumée, de poussière et d'étincelles, d'où s'échappe une odeur de caoutchouc chauffé dans les virages, de tête brûlée.

Et Joey mettra encore des coups, jusqu'à ce

qu'il ne reste plus rien de l'énergie à dépenser, ici, ce soir, sur scène.

Joey ne s'économise pas, n'en finit pas de s'épuiser. N'en finit pas de faire rendre l'âme à son corps, dans une danse imprévisible, sans harmonie, sans direction, sans chorégraphie ; mais il ne viendra pas à bout de sa puissance, intarissable, inentamée depuis bientôt deux heures de show. La scène est fumante, creusée par les va-et-vient de Joey, revêtement fondu, troué, lacéré ; sol qui se dérobe, plancher qui s'écroule, scène ruinée par le passage de NTM.

Joey, un homme qui n'est jamais à bout, qui ne connaît pas l'épuisement, le découragement, la lassitude. Un corps comme un générateur, l'œil du cyclone qui accueille et redistribue tous les flux, toutes les énergies. Au journal télévisé ce soir, des émeutes à l'autre bout du monde, le discours d'un dictateur, la météo du lendemain, le salon de l'automobile, les moissons, un fleuve qui déborde, un avion qui s'écrase, une fusée qui décolle, une manif ; et Joeystarr qui danse ce soir : ne fait que restituer les événements du jour. Mettez-le devant la télé, mettez-le dans la rue, voyez comme il engloutit. Photosensible qui imprime tout, qui absorbe et renvoie la lumière.

Matière absorbante, matière conductrice, allumée par Kool Shen. Sur scène courent des kilomètres de câbles, qui relient entre eux Kool Shen, Joeystarr, les platines des dj's, les enceintes, le public, les lampadaires de la rue, la jeunesse, branchée, perfusée au son de NTM.

Quand Joey et Kool Shen évoquent leur entourage, leurs amis, ils ne disent rien d'autre, ils disent « les sources ».

Ils dansent enfoncés jusqu'au cou dans le son comme dans la glaise. Ils ne composent aucune danse, ils sont ensevelis, ils sont traversés, irradiés, transfusés par les bpm. Battements par minute, breaks dans la jambe. Cause à effet, break du dj provoque jambe qui se lève, lois de la physique, mouvement dégage énergie, Kool Shen et Joeystarr poitrine contre poitrine. Ils s'arrachent, danse des écorchés sous la lune. Danse de boucher, on a enlevé tout le gras, ne reste que la chair tendre et ferme.

Les ondes se propagent dans le public, les spasmes prolifèrent, nous dansons comme les enfants, les animaux, les idiots. Expérience collective, bordel ambiant, joie communicative.

Les concerts réussis ont en commun cette

excitation qui à certains fait honte rétrospectivement. Pour d'autres c'est l'occasion de connaître la foule, de s'en repaître, de s'en gaver. Parfois aussi une manif, mais c'est tout. Manifestation, concert, seule manière d'entendre l'injonction : « tous ensemble », seuls lieux. Parfois aussi une révolution, il faut attendre une révolution. Peut-être aussi les vestiaires d'un stade de foot à la mi-temps, ou une réunion du parti. Amour collectif qu'il faut faire l'effort de chercher, de provoquer. Amour collectif, vieux comme le monde, régulièrement démodé puis retrouvé. Il y en a qui ont peur du fanatisme, de l'embrigadement, de la foule ; et il y en a d'autres qui méprisent l'arrogance de l'individu, ne jurent que par la mise en commun, les aventures collectives — amour compris.

Nous sommes là. Avec nos masques sur les yeux, que nous n'avons pas quittés, et avec lesquels nous aurons le droit de repartir tout à l'heure, rapportant à la maison un souvenir, un trophée, une preuve. Fétichisme.

Sam ne rapportera pas son masque à la maison, Sam n'aime pas les objets, ne garde rien. Il considère qu'aucune vie ne loge dans ces objets inertes, figés, qu'aucune matière vivante

ne se laisse enfermer, dévitaliser dans un acces-
soire de la vie quotidienne, aussi utile soit-il,
aussi sentimental soit-il.

— La matière vivante, c'est ce que j'enregistre avec mon sonomètre, c'est ce qui me fait
de l'effet, ce qui me tient au corps.

— Il n'y a que le corps qui tienne, rien ne
tient, aucune pensée, si le corps ne tient pas, si
le corps ne suit pas, si le corps ne montre pas la
voie. NTM tient le corps, NTM ne tient qu'au
corps. Instantanés, irrémédiables ; Joeystarr n'est
pas poli, Kool Shen n'est pas bien élevé, ils ne
sont ni courtois ni gentils, plutôt bêtes et mé-
chants, c'est-à-dire qu'ils ont le sens des réa-
lités, branchés sur une prise de terre. Le cul coulé
dans le ciment, rien à faire, ils n'en décollent
pas, scotchés au bitume. Kool Shen et Joeystarr
ne sont pas design, ils n'adoptent pas ces courbes
rassurantes et familières, cette fonctionnalité,
cette souplesse, cette esthétique à la fois sophis-
tiquée, soft et cool, propre aux objets qui nous
entourent, destinée à adoucir nos rapports avec
le monde, les autres, nos propres vies. Joey et
Kool Shen sont crades, rêches, et austères, ils
détonnent dans nos vies et nos intérieurs.

« Plus vous boostez, plus on booste aussi, avec la salle c'est cinquante-cinquante. »

Mais dans la salle on en voit qui ne boostent plus, qui se contentent d'écouter, qui ne sont pas conducteurs. L'énergie se perd, le découragement gagne, la colère monte à en voir certains dodeliner de la tête. On n'est pas là pour dodeliner. Tapageurs sur scène et dans la salle.

Voyez, sentez vos corps se rétracter, se relâcher, se racornir, vos muscles s'atrophier, votre sang pâlir, vos nerfs faiblir, votre voix mollir, votre cœur se dessécher, vous êtes plantés là les bras ballants alors que Kool Shen se démène sur scène. Vous ne saisissez pas votre chance. À quoi croyez-vous que serve le son ? Avez-vous un corps ? Quel est ce truc rouge, épais et vif qui coule dans vos veines ? Vous ne m'avez pas l'air très en forme. Vous êtes complètement anémiés. Vous êtes là par hasard ? Vous passiez dans le coin ? On vendait des billets au marché noir cinq minutes avant le début du concert et vous vous êtes dit pourquoi pas, pourquoi pas moi ?

Écoutez NTM, et puis vous irez me soulever un menhir.

Au début des années 90 les journalistes se pressaient pour voir NTM dans la cité, au pied de sa tour ; ils voulaient comprendre. C'est quoi le rap exactement ? ça consiste en quoi ? du bruit ? un état d'esprit ?

Joey n'avait qu'une seule réponse : « S'amuser tout en étant productif. »

Il l'a répété douze fois, quinze fois, avec la même patience, la même détermination. Voilà ce qu'est le rap, ce qu'est NTM, voilà ce qui m'anime : fun et productivité. Mot d'ordre du rap, mot d'ordre de l'Amérique tout entière, qui a inventé le rap, et la jeunesse.

Gage de sérieux ; le divertissement d'accord, les copains, la déconne, d'accord, mais à une condition, qu'il n'y ait qu'un objectif, une obsession, le travail, la productivité, la valeur ajoutée. Fabriquer, prospérer, grandir, fructifier. NTM, ouvriers du hip hop.

« S'amuser tout en étant productif », rêve d'un monde meilleur, capitalisme heureux, apogée du progrès social.

Rap entrepreneur, rap qui fait des affaires, dépose des marques et des logos, monte des boîtes. Rappeur chef d'entreprise qui crée de l'activité et de la richesse, qui embauche ses copains d'enfance, fabrique des sweat-shirts, imprime son nom sur tous les supports, vend, exporte.

NTM montre la voie, être productif à la condition de s'amuser, s'amuser à la condition d'être productif. Et toute la jeunesse qui ne demande que ça. Dites-le aux employeurs, les jeunes sont joyeux, productifs, pleins de ressource, plein de vie et de force ; ils sont programmés pour. Comme Joey la jeunesse a horreur du vide, du silence, peur panique du désœuvrement.

« S'amuser tout en étant productif », être en groupe. Amusement et productivité exigent le groupe, exigent du monde pour s'amuser, du monde pour produire. NTM est une meute, un collectif — de danseurs, dj's, guests, amis, amis d'amis, staff, managers, et tout ce petit monde embarqué dans le bus de la tournée, dans les hôtels, dans les loges et sur scène. Derrière un grand groupe, de rap, de rock, il y a toujours une bande, qui pousse, qui tient à bout de bras, qui encourage, qui a confiance, qui éponge les fronts, qui fait la ola, qui prend beaucoup de place, qui bourdonne — bruit de fond permanent et nécessaire, brouhaha stimulant, et qui empêche de dormir. Une bande à qui dédicacer. Chez NTM, dans le rap, tout est dédicacé, tout est collectif, tout est adressé.

On dédicace, ce que l'on dit, ce que l'on fait. Rien ne se perd, rien ne sombre dans l'oubli, puisque c'est dédicacé — au public, à la famille, aux amis, aux professionnels, aux collègues, aux lieux et aux époques révolues, aux groupes et aux individus. Ça peut prendre des heures et des pages, n'oublier personne. C'est blindé de monde. La peur du vide, la gratitude aussi. Dédicacer, faire surgir une lame de fond, tous ceux qui les portent, tous ceux qu'ils emmènent. Ne pas rougir des aventures collectives, tout le monde peut prendre le train en marche, places illimitées. La caravane NTM, du monde sur la photo, agglutiné autour de Joey et Kool Shen, tout sourire.

À la fin du concert, comme à chaque fois, ils seront là, hissés sur scène, une vingtaine, en T-shirt de l'équipe Com8, serviettes autour du cou en signe d'effort partagé. Au milieu du cercle Kool Shen improvisera une danse. Paumes collées au sol, poignets souples, flexibles, jambes qui courent autour du corps, un passpass, une coupole, sa tête maintenant au sol, son dos, et les jambes en ciseaux, il tourne, il vrille, toupie, breakeur derviche tourneur. Et la foule en délire.

NTM, un groupe, un couple, une entreprise, un partage des rôles, une cause commune — faire fructifier le rap. NTM, une amitié entre Joeystarr et Kool Shen, une démonstration d'amitié. Amis, partenaires, comment ça marche ? comment ça fonctionne ? quelle structure ? En libre-service ; chacun se sert chez l'autre, chacun prend ce qu'il a à prendre, ce qui saura accroître son rendement, décupler ses forces, régénérer ses tissus. Pillage réciproque. Lui pomper sans scrupules toute son énergie, s'asseoir sur sa tête, ne rien lui refuser, tout lui prendre, l'admirer et vouloir l'enfoncer. Régime à deux en courant alternatif, stimulation réciproque, défense de l'autre pour se défendre soi-même, solidarité des investisseurs ; les deux parties en activité permanente, ne se lâchent jamais, se cherchent et se trouvent. Chacun ancré dans l'autre, enraciné dans l'autre ; se sont reconnus, ont fondé une entreprise, un lien, l'intensité de ce lien. Fonctionnent ensemble, ensemble produisent de la valeur, produisent de la croissance.

L'un crée l'appel d'air dans lequel l'autre s'engouffre, se laisse porter, déplie sa course, en Nike Air Max exclusivement. Creuser des sillons, ouvrir des trajectoires et se suivre encordés. Joeystarr veut être meilleur que Kool Shen, Kool Shen veut la même chose, les deux excellent. Puissance de l'un n'est rien sans puissance de l'autre, se taper la bourre est la condition, la compétition est la condition. Un jour ils se lâcheront c'est sûr, le jour où NTM ne sera plus Suprême, le jour où le désir aura déserté, le jour où on sera vieux, le jour où les corps éreintés ne suivront plus. Ce sont les corps qui les lâcheront en premier ; le jour où le contact sur scène laissera des traces de coups, ce jour funeste où leurs corps ne sauront plus rebondir en force l'un contre l'autre ; plus de jus, perte d'élasticité, réflexes diminués, facultés d'anticipation amoindries. NTM ne peut souffrir aucune faiblesse physique.

Joeystarr combustible de Kool Shen, Kool Shen étincelle qui allume le feu Joeystarr. Ils veulent tout faire sauter, se sont associés pour tout faire sauter, pour qu'il y ait un élément déclencheur, une mise à feu.

Dans un bécher on verse de la limaille de fer, on y ajoute 5 ml de solution d'acide chlorhydrique ; du mélange de couleur vert bouteille s'échappe un nuage de gaz, on approche une allumette enflammée qui produit une explosion. Kool Shen précipite Joey, tous les deux dans une éprouvette, on obtient un précipité fumant, rouge vif.

Fonctionner ensemble. Joey, surproductif, fait monter la cote de Kool Shen, Kool Shen adossé, appuyé, en extension sur l'énergie de Joey, la puissance de Joey aimantée, canalisée, redistribuée par Kool Shen, pour que le train ne déraille pas, pour que les débordements irriguent sans noyer, sans asphyxier. À la fin du concert l'émotion de Kool Shen, l'affectif, attrape Joey par les épaules, le fait venir, et Joey, un peu gêné, se dégage de l'étreinte, Joey moins démonstratif, plus farouche. Kool sentimental, posé, on dit que c'est lui qui a appris le compromis à Joey. La rudesse de Joey, la patience de Kool Shen, une même ligne de conduite : « mouiller le maillot » et « faire du bruit ». Ce qui s'appelle s'être bien trouvés. Il y en a qui pleurent à les voir s'aimer comme ça sur scène, l'un accroché au T-shirt de l'autre, l'un retenant l'autre qui, s'il s'écoutait, serait déjà loin, à faire son chemin, à s'occuper de sa gueule. Les jours où on se déteste, la patience de Kool Shen qui a des limites, la puissance de Joey qui tourne à vide. Une vie éreintante ; vidés, vannés, au bout du rouleau. Mais le temps leur est compté, « on n'a pas toujours vingt ans », c'est un vieux rocker qui a inventé l'adage, un rocker lyrique et pragmatique, Joey et Kool Shen sont des rockers lyriques et pragmatiques.

Fatigue permanente mais jamais sentie, jamais un problème sur scène, jamais aucun signe de dysfonctionnement ou de mésentente, jamais d'approximations. C'est d'équerre.

Le plus souvent c'est Kool Shen qui démarre : base vocale, ligne de flow, tempo, il montre la direction, connaît et maîtrise la totalité des éléments sonores — toutes les paroles, toutes les ruptures, tous les rythmes, tous les cuts. Kool Shen ne flanche jamais, n'oublie rien, est au millimètre. C'est lui qui avant chaque concert fait le travail minutieux et fastidieux de réglage, calage, bordage, travail qui emmerde Joeystarr. Il s'acquitte de ces tâches avec humilité et concentration, pour que Joey puisse se déployer en toute sécurité, pour que Joey puisse s'arrimer sur du solide et pousser son cri de guerre sans faire sauter les plombs.

Kool Shen, un type sérieux et perfectionniste, précis et régulier, qui vérifie tout, plusieurs fois, en professionnel, le moindre bouton de réglage, le moindre voyant lumineux, le moindre cligno-tement, grésillement ; et la voie est libre pour que la monstruosité, la radicalité de Joeystarr ne soient freinées en rien. L'application au travail de Kool Shen permet à Joey de déferler, ce n'est pas le moindre de ses mérites.

Kool Shen connaît la machine, met le contact ; il est le seul à savoir, tous ceux qui s'y sont essayés s'y sont cassé les dents, se sont fait casser les dents. Le génie de Joeystarr, tête reposée sur la fiabilité technique de Kool Shen, sur son flow impeccable, toujours dans les temps, sans accroc, mer de glace sur laquelle souffle le blizzard, et glisse le grizzli. C'est Joeystarr, venu fracasser le débit sous oxygène de Kool Shen.

La question se pose ce soir au Zénith de Paris. Serions-nous prêts ? serions-nous prêts à n'entendre que Joey ? Sommes-nous assez forts ? assez résistants ? Les dents qui grincent et se fendent, ce sont les premiers symptômes. Joey inaudible, seuil de tolérance dépassé, sonomètre sorti, et dont l'alarme se déclenche. Niveau sonore inhumain, autour de nous spectateurs victimes de malaises, qui s'effondrent, nous frôlons la mort, nous allons tomber amoureux sous ce déluge — Sam et moi.

Et Kool Shen reprend la parole, le ciel s'éclaircit à nouveau.

Kool Shen est là pour que ce soit humain, pour nous donner un peu d'air, pour que notre cœur puisse entreprendre cette folle course sans se fissurer sous la pression. Kool Shen fait baisser les niveaux, retomber les cotes d'alerte ; mais méfions-nous, car lui aussi est redoutable. Il n'adoucit rien, ne nous protégera pas, ne nous consolera pas, ne nous rassurera pas, il nous coupe le souffle, nous pousse à bout, il surveille notre pouls peut-être, nous fait respirer juste avant l'asphyxie, nous refile le masque à oxygène apitoyé par nos yeux révulsés, mais c'est lui qui lance à vive allure Joeystarr, c'est lui qui nous jette à la tête ces sacs de pierres. La salle suffoque mais en redemande, on va lui offrir quelque chose, quelque chose d'aussi fort mais qui lui évitera une syncope fatale.

C'est l'heure du set des dj's, le moment de leur parade glorieuse. Il ne faudrait pas les oublier. Les dj's sur les épaules desquels viennent se poser les flows de Joeystarr et Kool Shen — oiseaux de proie. Les dj's qui sont la terre ferme, la tour de contrôle, qui donnent le tempo initial, qui mettent en place la rampe de lancement. L'essence dans le moteur, la mèche, la clé dans le contact. Avant toute chose se caler sur le son des dj's.

C'est l'entracte, show des deux dj's : dj James et dj Naughty J penchés sur leurs établis, leurs tables de mixage. Leurs doigts mécaniques qui courent, qui glissent sur les manettes, le curseur, les aigus, les basses, les pistes enchaînées, superposées, fondues. Démonstration de force, de l'étendue de leur art, leur savoir-faire indéchiffrable, leur dextérité, gestes si vifs qu'ils en deviennent invisibles, pris dans une tornade ; dj James cut, fait bégayer le disque, explose la phrase musicale en une multitude de fragments acérés, virevoltants, tranchant la gorge de Joeystarr, gorge qui pisse le sang, voix d'autant plus belle ; les sons étourdis tombent en syncope, la salle chavire avec. Le son qui s'enivre, les machinistes qui s'emballent, chercheurs en radicalité sonore, manipulateurs de basses, leurs doigts sont des brevets exclusifs, des technologies de pointe. Dans leur sacoche toutes les musiques du monde, tous les sons de l'histoire, tous les bruits des hommes ; ils se servent, empilent, diffractent, samplent, séquencent, superposent, coupent, cassent, suspendent, scratchent, rayent, brisent, recyclent, et manipulent indéfiniment les notes, les échantillons, les prélèvements.

Décrire la tâche du dj est sans fin, épuiser ses possibilités d'action est sans fin, convoquer des listes de verbes qui diraient précisément son travail est sans fin. Le dj omnipotent a pour lui tous les verbes.

Dj maître et possesseur, qui fait varier les timbres, les tonalités, les fréquences, les effets ;

éleveur de signaux sonores numériques, passés à la traite impitoyable du sampling, aux grandes eaux du scratching, tatoués par le breakbeat.

Je me souviens qu'en 1988 le groupe Public Enemy superposa jusqu'à soixante-dix pistes pour réaliser l'album « It takes a nation of millions to hold us back ».

Je me souviens que Grandmaster Flash inventa la première table de mixage, qu'il fut diplômé d'électronique et qu'il s'appelait Joseph Saddler.

Je me souviens que Grand Wizard Theodore découvrit et du même coup inventa le scratch en posant incidemment ses doigts sur un disque en train de tourner.

Le son passe à l'ère révolutionnaire, NTM sur les barricades, dj's en seconde ligne, pourvoyeur de balles, dj's assis sur un tas de munitions comme d'autres sur un tas d'or. Une montagne de munitions, à recycler, à manipuler, munitions à tirer d'urgence pour improviser de nouveaux combats. Le dj redonne de l'efficacité aux pièces usagées, aux munitions rouillées, aux armes enrayées, une vieille kalachnikov, un vieux standard de jazz.

Dj's en seconde ligne avec feuille de route, instructions précises, au millimètre près, à la nanoseconde près, au souffle près. Sans eux rien n'est possible. Artilleurs virtuoses qui visent juste, rodés aux techniques de combat rapproché ; adeptes du punch phrasing : le dj repose l'aiguille de façon répétitive sur une même phrase musicale — pour des tirs en rafales.

Je me souviens de chaque détail de ce premier concert à Mantes-la-Jolie en mars 1991, de
chaque intonation. Je me souviens de leurs
flows en direct, droit au but, de leurs scansions
aiguisées, de leurs mots découpés à la scie sau-
teuse, de leurs phrases distinctes mais inaudibles, qui sifflaient à mes oreilles, me fen-
daient la nuque. Je n'avais jamais entendu ça,
jamais entendu ces voix qui taillent dans le vif,
cette manière d'articuler sur la musique comme
pris dans un éboulement, dévalant les pentes du
volcan. On ne m'avait jamais parlé comme ça.

Rapper c'est préférer parler que chanter, non
qu'on ait quelque chose à dire, mais le chant
lisse, adoucit, arrondit les angles ; pas du tout
les effets escomptés par le rap. Qui préfère le

rugueux, l'âpre, nous faire mordre la poussière plutôt que nous ménager. Qui préfère l'évidence inflexible du réel — intransigeant, inévitable. Dans l'urgence on ne fuit pas, on ne chante pas, on parle, on va au plus court, au plus efficace. NTM est dans l'urgence, celle de la jeunesse qui ne dure pas, de la ville qui ne dort pas. Rapper c'est parler en mieux, c'est parler avec tous les accents, toutes les intonations, toutes les nuances, toutes les modulations de fréquence, c'est parler avec des hauts et des bas, se rompre, accélérer, décélérer, aller, venir, suspendre et replonger, c'est parler la bouche pleine, c'est épouser enfin toutes les dépressions des terrains accidentés et mouvants que nous habitons. Rapper c'est parler à ras du sol, l'oreille collée au goudron qui renvoie l'écho de ceux qui marchent, c'est parler la gueule dans la terre, c'est parler avec au fond de la gorge le temps qu'il fait. Rapper c'est avoir une très haute idée de ce que parler veut faire, peut faire ; rapper c'est ne pas se contenter de parler, c'est parler de telle sorte que la matière des mots nous ébranle bien au-delà de tout ce qu'ils veulent dire. Rapper c'est inventer parler, disloquer parler, laisser passer les bruits alentour, bouillons sonores, masse bruyante hérissée, qui nous tombe dessus comme une grêle coupante.

Rapper c'est quand l'air est d'un coup plus lourd, que quelque chose est palpable, physique, que je suis cernée, c'est parler concret — la météo, pas la psychologie.

Rappeur, super-parleur, Joeystarr ouvre la bouche, avis de tempête.

Le rappeur enregistre et restitue vibrations, fluctuations, ondes et fréquences de la terre ferme à laquelle il est sérieusement vissé. Kool Shen en tensiomètre du monde qu'il habite (Cité des Fleurs, Tour Mimosa, escalier B, huitième étage, porte bleue).

Le Suprême est dans la place.

Kool Shen et Joeystarr parlent comme ils marchent, un mot, un pas, un même écho, la terre qui résonne, leurs pas sont lourds, leurs mots s'abattent comme la foudre, ils marchent, ils sont en battue, ils passent et repassent, ils ratissent large, ils restent éveillés tard, tout le monde est couché sauf Joey et Kool Shen, encore à traîner, on les a vus passer furtifs dans le halo blanc des lampadaires.

Joey l'a toujours dit, il n'est ni un suiveur ni un meneur. « C'est juste qu'on passait par là avec Kool Shen, et bing, le hip hop nous a attrapés. » Bing. Le son caractéristique de l'événement. Ne faire que passer et bing ça vous tombe dessus. Et pourtant, ils ont inventé le hip hop en France, sans le prévoir, sans le décider. Le hip hop les a attrapés, c'est qu'ils le voulaient bien, qu'ils étaient disponibles. Le hip hop qui cherchait deux corps fiables dans lesquels s'incarner, deux gars solides. Envisager Joeystarr et Kool Shen non pas comme des leaders mais comme des matériaux, de ces matériaux aux multiples propriétés : solide, épais, respirant, résistant, étanche, incassable, infroissable, insubmersible, inusable. Les grands événements s'incarnent dans de bons matériaux. Ni suiveurs ni meneurs, ni disciples ni maîtres, juste deux corps foudroyés, bing, amplificateurs, haut-parleurs, pas porte-parole.

Kool Shen et Joey, rétifs et désobéissants ; rien n'accroche, sur leur cuir rien n'accroche, pas le moindre discours, pas la moindre explication. N'essayez pas, nous ne sommes ni des suiveurs ni des meneurs, vous pourrez tout dire de nous, rien n'accrochera, tout glissera, c'est juste qu'on passait par là on vous dit. NTM à prendre ou à laisser, pas à commenter. C'est arrivé, les années 90, mais pas de genèse et pas de relève, pas d'avant pas d'après, pas de jeunesse éternelle. Aujourd'hui rien de comparable. Et pourtant le béton est toujours là, la jeunesse est toujours posée dessus, la ville tourne à plein régime. Mais on en restera là, pour le moment. En attendant à nouveau les bons corps au bon moment au bon endroit. Pas d'avant ni d'après la beauté, pas d'avant ni d'après la jeunesse, même fulgurance, d'une traite. Seulement l'impatience du présent, sans autre souci, sans autre engagement. NTM ne capitalise pas, NTM ne dure pas, refuse de durer, NTM ne lègue rien, ne commémore pas, ne s'étend sur rien, n'a rien à nous dire — juste un maillot à mouiller devant un public réuni à l'heure dite le jour dit. NTM n'a rien prévu, n'a rien envisagé, NTM à plein puis plus rien.

Un jour nous passions par là et bing au tout début des années 90, attrapés par NTM, pris dans le champ magnétique. Nous en avons gardé quelque chose, des stigmates. Nous cherchons l'origine du désir en nous, nous remontons loin, nous trouvons des fragments de son hip hop. Inaltérés, incandescents, prêts à l'emploi.

Nous avons localisé l'origine du désir en nous : le Suprême NTM.

Achevé d'imprimer
sur Roto-Page
par l'Imprimerie Floch
à Mayenne, le 16 février 2007.
Dépôt légal : mars 2007.
Numéro d'imprimeur : 67135.

ISBN 978-2-07-077971-0 / Imprimé en France.

142799